D1534980

Ces valeurs dont on parle si peu

Du même auteur

Au nom de la conscience, une volée de bois vert, Fides, 1998

Quand le jugement fout le camp, Fides, 1999

Réenchanter la vie, Fides, 2002

Pourquoi sombrons-nous si souvent dans la démesure, Fides, 2002

Questions interdites sur le Québec contemporain, Fides, 2003

Du jardin secret aux appels de la vie, intériorité et engagement, Fides, 2004

Pour un nouvel humanisme, Fides, 2007

Société laïque et christianisme, Novalis, 2010

Pour une spiritualité laïque au quotidien, Novalis, 2013

Jacques Grand'Maison

Ces valeurs dont on parle si peu

Essai sur l'état des mœurs au Québec

CARTE **BLANCHE**

Les Éditions Carte blanche
Téléphone : 514 276-1298
carteblanche@vl.videotron.ca
www.carteblanche.qc.ca

Distribution au Canada : Édipresse

Dépôt légal : 3e trimestre 2015
Bibliothèque et Archives nationales du Québec
Bibliothèque et Archives Canada
ISBN 978-2-89590-272-0

« La société de l'avenir n'est qu'une abstraction,
si ses valeurs ne sont pas comprises et vécues
dans la société d'aujourd'hui. »

Albert Camus

« Il ne faut pas faire par les lois
ce qu'on peut faire par les mœurs. »

Montesquieu

Avant-propos

À QUOI BON LA PETITE MERVEILLE du téléphone intelligent, si l'intelligence tout court est superficielle?

De même, à quoi bon la ville intelligente et le précieux GPS, s'il y manque une petite boussole intérieure pour bien orienter le sens de sa vie?

À quoi bon les manuels de déontologie, si la conscience morale est étouffée, sinon assourdie?

À quoi bon ta condition citoyenne, si tu renvoies toutes les responsabilités aux autres et au gouvernement?

À quoi bon ta religion ou ton athéisme, si ta vie réelle n'a pas de profondeur d'âme?

Je me pose ces questions pour aller au-delà de nos désespoirs actuels et tâcher de concilier nos meilleures traditions culturelles avec les valeurs inspirantes de la modernité. Ce qui implique de rudes débats à la mesure des enjeux cruciaux d'aujourd'hui. Avec de nouvelles solidarités et de plus durables engagements.

Dans ce livre, je me propose d'explorer l'évolution des mœurs dans l'histoire récente, y compris les courants souterrains, trop souvent méconnus sinon refoulés. J'utilise la métaphore de l'humus qui régénère la vie, de l'humus humain capable d'aller chercher au fond de soi des forces, du sens et de la confiance qu'on ne soupçonnait pas posséder ; un peu comme les bouillons de culture et leur créativité au plan collectif.

Qu'arrive-t-il quand l'humus se détériore, se dégrade ou même se meurt ? Cela peut se produire dans nos mœurs humaines.

Ma démarche vise à dégager des dynamiques de sens, de rebondissement, de relances d'espoir et de foi. C'est une démarche qui renvoie le lecteur à sa propre expérience et au dialogue nécessaire pour déboucher sur le nouvel humanisme à bâtir.

Dans un deuxième temps, je vais emprunter un autre chemin pour aller plus loin. Parmi les lieux révélateurs de l'évolution de la société et de ses mœurs, il y a la famille et son parcours historique, le passage de la famille traditionnelle à la famille moderne, et ses différents types. Il y a beaucoup d'interrelations et d'interactions entre le « micro » familial et le « macro » sociétal, ce que les analystes culturels sociaux et politiques prennent trop peu en compte.

La culture dominante de l'audiovisuel se prête mal à tout ce qui est linéaire. D'où la présentation qui va suivre de toutes les valeurs traitées dans ce livre, pour y aller d'abord au choix du lecteur, un peu comme le laisse entendre la métaphore de l'écrivain André Gide, qui dit : « Les abeilles vont butiner çà et là avant de thésauriser le miel. »

En guise d'entrée en matière, je voudrais faire miens ces ravissants propos d'un arrière-petit-neveu qui disait à sa mère : « Moi, quand je serai grand, je veux être un père sévère et un papa super gentil. »

Des valeurs et des repères dont on ne parle pas ou si peu

- Le sens de la limite contre le culte des extrêmes et les nouveaux mythes de l'illimité. Pourquoi sombrons-nous si souvent dans la démesure ?
- Le jugement. « Tout le monde se plaint de sa mémoire et personne de son jugement. » (La Rochefoucauld)
- L'autorité. On parle beaucoup des abus de l'autorité d'autrefois. Mais qu'en est-il de l'autorité aujourd'hui ?
- L'éducation comme une valeur en elle-même et non seulement comme moyen
- Les valeurs de durée sont nécessaires et précieuses dans une société où tout se joue à très court terme dans la plupart des domaines.
- L'appartenance. Il n'y a pas de développement durable sans engagement durable ni d'engagement durable sans appartenance durable.

- Le degré d'humanité d'une société se révèle surtout par le traitement de ses « tiers », à savoir les enfants, les pauvres, les malades, les immigrés, ceux qui n'ont que leur humanité à mettre dans la balance.

- La profondeur. Lorsqu'il s'agit de spiritualité, les médias et les divertissements permanents rendent trop souvent impossible le recueillement et la vie intérieure.

- Les rites de deuil. Ceux-ci sont porteurs du sens communautaire de la mort humaine et de ses adieux. Les débats autour de l'aide médicale à mourir n'en ont pas dit un seul mot.

- Le testament spirituel. Un testament est plus qu'un legs de biens matériels ou d'argent. Ce qui est le plus précieux pour les générations qui nous suivent, ce sont nos valeurs et nos convictions les plus profondes.

- La foi. Tout tourne autour de l'avoir, du pouvoir et du savoir, mais qu'en est-il du croire, souvent objet de tabou ? Beaucoup de gens se vantent de ne plus croire en rien, mais étrangement, plusieurs sont prêts à croire en n'importe quoi.

- À propos des vieilles valeurs telles la pudeur, l'âme et la vocation

- L'état des mœurs à travers la famille

- L'humanisme. Le spirituel aujourd'hui prend une ampleur qui déborde les murs des églises, des mosquées ou des synagogues pour envahir même les esprits les plus séculiers. C'est le respect face à ce que l'être humain a de sacré, d'indéfinissable et de transcendant.

1. Le sens de la limite

J'aurais pu intituler ce propos «Des limites pour une société viable». Dans presque tous les domaines, on joue la carte de l'illimité. Voyons-en l'ampleur. Quatre grands mythes ont marqué les décennies récentes :

1) Années 1950 – Mythe d'une croissance économique sans limites, qui a mené aujourd'hui à une concentration de la richesse avec une cupidité sans borne.

2) Années 1960 – Une dynamique féconde de l'État-Providence qui, par la suite, s'est souvent réduite à une société de services dont on se soucie parfois peu des coûts.

3) Années 1970 – Libéralisation des mœurs et son tout permissif

4) Années 1980 à aujourd'hui – Le mythe qui commande d'être à la fois et pour toujours jeune, beau, riche, en parfaite santé et libre de tout lien et de toute contrainte.

Cela nous mène à nous poser la question : pourquoi sombrons-nous si souvent dans la démesure? On trouve cette interrogation dans les deux sources de l'histoire occidentale : dans la civilisation grecque antique et dans la Bible.

Je retiens deux repères concrets de la valeur et du sens de la limite.

Dans une famille saine, l'enfant reçoit des mêmes personnes la possibilité de réaliser ses désirs et l'ordre de les limiter. Voilà deux apprentissages fondamentaux non seulement pour l'éducation première, mais aussi pour une société viable et des citoyens démocratiquement responsables.

Le deuxième repère est peut-être le plus méconnu aujourd'hui. Il s'agit de l'interdit. On n'a retenu de lui que le côté négatif et nocif. Pourtant, il n'y a pas de société viable ni de civilisation véritable sans interdit. L'interdit implique trois composantes fondatrices de la société humaine :

- il permet un vivre ensemble sain ;
- c'est un repère de conduite ;
- il institue une radicalité morale.

L'interdit de l'inceste, par exemple, a permis historiquement à des tribus ennemies de sortir de la violence, grâce à des mariages interclaniques.

Certes, la valeur de la limite ne met pas en cause la dynamique du dépassement. Mais celui-ci, lui aussi, doit reconnaître ses limites.

Les « absolus » refusent souvent tout questionnement et toute distance critique sur eux-mêmes.

Mais c'est peut-être la culture narcissique du Moi, Moi, Moi qui est la plus inquiétante. Sa pop-psychologie ne connaît pas de limite : «Tu as tout en toi, tu peux toute-toute !»

Des sages ont dit, avec raison, que les êtres humains ne supportent qu'une partie du réel, tout le contraire de la situation d'aujourd'hui du «trop de réel en tout et partout».

Pensons par exemple au bombardement média-tique quotidien de tous les problèmes du monde et de notre société. Sans une spiritualité ou une philo-sophie de la finitude humaine, on n'a pas de discer-nement intérieur pour se situer dans ce défi quotidien.

2. Le jugement

« Tout le monde se plaint de sa mémoire
et personne de son jugement. »

LA ROCHEFOUCAULD

On fait des bêtises tout au long de sa vie quand on n'a pas de jugement.

Sur un plan plus large, comment ne pas reconnaître que la qualité de la démocratie est tributaire du jugement de ses citoyens ? Il en va de même de tous nos rapports sociaux ou moraux. Nos valeurs modernes de liberté de conscience, d'autodétermination, de choix de tout ordre appellent davantage le jugement que la vie très régulée d'hier.

Il faut beaucoup de jugement pour bien discerner ce qui exige de ne pas juger et ce qu'on doit juger.

Le vieil éducateur que je suis se demande où, quand, comment on initie au jugement aujourd'hui.

Suite à la publication de mon ouvrage qui s'intitulait *Quand le jugement fout le camp*, quelqu'un de haut gradé m'a dit : « Vous avez perdu votre temps : le jugement, on l'a ou on ne l'a pas. » Je lui ai demandé s'il avait des enfants. Il m'a dit oui. « Ne trouvez-vous pas qu'il est important de les aider à apprendre à bien juger des choses de la vie ? »

L'exercice du jugement donne plus de sens à la vie, plus de profondeur, un fondement solide, plus d'intelligence à la conduite de la vie.

Ma mère, peu instruite, disait ceci : « Quand on a prise sur le sens de ce qu'on vit, de ce qu'on fait, on est mieux équipé pour résoudre des difficultés de son parcours, et d'aller au bout de ce qu'on entreprend. »

Dans l'univers des médias, j'entends souvent des gens qui laissent entendre que l'émotion te donne tout : le plaisir, la note juste, la seule vraie et bonne communication, et bien sûr, une plus grande cote d'écoute. Pas un mot sur la capacité de se distancer de ses émotions pour savoir les évaluer, les comprendre et en trouver le sens. Sans cela, on confond l'émotion avec la profondeur du sentiment. Les dialogues sont de plus en plus courts dans les téléromans depuis trente ans ; certains humoristes disent même qu'il faut faire rire toutes les quinze secondes, « sinon, tu perds ton monde ».

Mais la pire méprise, c'est de considérer le jugement comme un vilain moralisme !

À ce chapitre, j'ai noté que l'appauvrissement de l'exercice du jugement s'accompagne assez souvent du refoulement de la voix de la conscience et de l'incapacité d'un retour sur soi. Étrange déficit en regard des belles et bonnes valeurs modernes d'autodétermination et de liberté de conscience. J'y reviendrai.

3. L'autorité

Pourrait-elle être une valeur admissible au pays des droits et des libertés ? Dans ma jeunesse, j'ai connu plusieurs abus de l'autorité. Le pire était celui-ci : « Si vous obéissez, vous ne pouvez pas vous tromper. » C'était paver le chemin d'un pouvoir absolu et d'une infantilisation des consciences.

Mais qu'en est-il aujourd'hui ? Se pourrait-il qu'on soit passé à l'autre extrême, surtout au chapitre d'une certaine dégradation de l'autorité morale ? Par exemple, quand des valeurs ne font pas autorité sur soi, telle l'honnêteté. Les mots *conscience* et *morale* sont quasiment disparus, comme à la Commission Charbonneau sur la corruption.

Quand on utilise le légal pour cacher l'immoral, quand des délits individuels ou collectifs qui saccagent le bien public sont ramenés à de simples comportements inappropriés...

Quand l'évaluation morale est vite évacuée de la délibération sur des enjeux graves, sous l'implicite prétexte d'éviter le moralisme, ou l'imposition de la morale aux autres, étant donné que chacun a sa morale particulière, sans aucune autre considération...

Quand la réflexion éthique est figée et tablettée dans un manuel de déontologie, il y a de quoi se demander si la dégradation des valeurs et des repères de l'autorité morale n'est pas une des crises les plus sous-estimées au royaume de nos mœurs actuelles, avec les effets pervers du non-respect des lois et de tout ce qu'il y a de normatif, sans compter l'embarras de se donner une base sociétale commune respectée de tous ou de la plupart.

Lorsqu'il s'agit d'éducation, comment décoder les propos de cet adolescent : « Papa, des copains j'en ai en masse, un père je n'en ai qu'un » ? Ou encore ce que cette adolescente qui disait à sa psychologue : « Ma plus grande souffrance, c'est qu'il n'y a rien au-dessus de moi » ?

En matière d'autorité, il y a une référence qui s'appelle la *transcendance*. Outre sa valeur spirituelle, la transcendance a plusieurs sens : ce dont on ne peut disposer (par opposition au règne du n'importe quoi). Son ouverture à plus grand que soi (par opposition au moi, l'être narcissique comme seule mesure de tout). Paradoxalement, on en arrive à se déposséder de soi-même et de perdre autorité sur soi-même, tout le contraire du sens étymologique du mot *autorité*, à savoir « *grandir avec* » (*cum, augere*).

Plusieurs historiens disent que depuis deux siècles, le meurtre du père, symbole du refus de toute autorité, a pris plusieurs formes. Ce qui, paradoxalement, a pavé le chemin des dictatures, des intégrismes religieux ou laïques, et de tous les pouvoirs absolus. Et, plus près de nous, pensons à l'autorité parentale et à ses tensions entre la permissivité et un régime autoritaire.

J'ai appris en psychosociologie que les êtres humains, face au *chaos* ou à une société sens dessus dessous, choisissent toujours l'*ordre*, parfois à n'importe quel prix. Voilà un autre repère pour comprendre ce qui se passe chez nous et ailleurs dans le monde, au plan individuel et collectif.

On constate que les êtres humains ne supportent pas longtemps la hantise de ce qu'on appelle en langage populaire, le *bordel,* particulièrement celui des anarchistes.

4. L'éducation

Dans une recherche de longue haleine sur l'évolution des valeurs sur plusieurs générations, je me suis rendu compte que l'éducation comme valeur en elle-même était loin d'être gagnée, et ce, chez des gens de tous les âges.

Par ailleurs, je note que les sociétés les plus développées ont cette caractéristique d'avoir une haute estime de l'éducation elle-même. Le Japon, par exemple, était déjà très scolarisé au début du XXe siècle. Aujourd'hui, plus qu'autrefois, il nous faut un solide système d'éducation.

Dans une société de plus en plus complexe, l'étudiant, le travailleur et le citoyen ont besoin d'une base éducationnelle plus large pour comprendre les enjeux cruciaux actuels et y participer. Hélas, je constate que la formation à tous les niveaux de scolarité est de plus en plus étroite.

Ce qui m'incite à pousser plus loin le débat actuel où s'opposent les tenants d'une éducation plus utilitaire, centrée sur un futur emploi, et les tenants d'une éducation humaniste qui aide à donner un sens à sa vie, à bien penser, à mieux connaître le monde d'hier et d'aujourd'hui, à faire de bons choix d'études, de travail, de style de vie et d'amour.

Même dans une perspective utilitaire, je soutiens qu'un métier ou une profession, c'est plus qu'un bagage de connaissances et de techniques. Il peut être aussi un lieu pour développer ses manières propres de s'exprimer, de penser, de voir et de comprendre le monde et de s'y impliquer.

Il me semble que ces propos unissent les deux conceptions de l'éducation que j'ai évoquées plus haut. Mais il y a plus. Le vieil éducateur que je suis, avec un souci de profondeur spirituelle, a appris que souvent, on arrivait à surmonter une épreuve ou une grosse difficulté de parcours lorsqu'on y trouvait un sens. Définir l'humain comme un être de sens n'a rien d'abstrait. C'est le caractère précieux d'une éducation humaniste. Celle-ci permet aussi à la personne vieillissante de boire à son propre puits d'expérience et de savoir en transmettre aux générations qui suivent.

D'aucuns parlent, non sans raison, d'un certain anti-intellectualisme au Québec. Bien penser ne serait pas une valeur très importante. C'est peut-être ce qui fait douter des discours sur l'importance de l'éducation scolaire comme lieu de sens majeur.

Et puis, il y a cet autre passif, évoqué dans plusieurs recherches : on ne peut rien construire avec une langue déstructurée.

En terminant, j'hésite à faire écho à une étude qui a chiffré le profit à long terme de l'investissement en éducation, à savoir sept fois la mise de départ. Mais cette pensée calculatrice ne peut remplacer la portée inestimable de culture, d'humanisme et de civilisation qu'apporte l'éducation, surtout quand elle s'exerce toute la vie.

Les plaisirs parascolaires sont bénéfiques. Mais idéalement, l'école doit transmettre les immenses plaisirs du savoir et du bien penser. Par exemple, c'est par écrit que l'on apprend à développer une parole plus réfléchie.

Reste le fait inquiétant souligné par une récente recherche internationale sur les taux de scolarisation dans les différents pays du monde développé. Le Canada traîne en arrière. Le Québec traîne derrière le Canada. Et ses jeunes traînent derrière ses aînés. Et il y en va de même de l'alphabétisme dysfonctionnel dans le type plus complexe de la société d'aujourd'hui. Il semble, à ce chapitre, que l'éducation, comme valeur en elle-même, soit loin d'être gagnée, malgré tout ce qu'on en dit.

Bien sûr, il y a d'autres causes à cela, comme nous l'avons vu plus haut.

5. La durée

Le XXe siècle a développé des valeurs de progrès, telles les libertés de changement, de créativité, d'innovation, et surtout, l'autodétermination de la conscience, de la pensée et de l'action. Mais le XXe siècle a négligé les valeurs de durée, de mémoire, de continuité, de persévérance, de résilience, de conscience historique.

Dans un colloque récent, des cégépiens dialoguaient avec des aînés de différentes disciplines et professions. J'étais de la partie. Contre toute attente, certains jeunes adultes nous ont interpellés en ces termes : « Vous ne nous parlez que de changements de tous ordres, mais qu'en est-il de la continuité ? Par exemple, les autres communautés culturelles tiennent à leurs filiations historiques, à leurs racines et à leurs religions… Nous autres, on est fils de quoi, de qui ? D'un passé révolu, d'un avenir de court terme. »

Ces propos ont suscité chez moi un questionnement sur une tendance problématique d'aujourd'hui. Sans se souvenir et sans prévoir, on s'enferme dans le présent le plus immédiat ; on n'a alors pas ou peu de distance pour réfléchir sur sa vie et son parcours, pour se donner une histoire intérieure, et, plus largement, pour se situer comme citoyen dans la société, et surtout dans un monde dont les enjeux les plus importants sont de long terme. Le temps ne respecte pas ce qu'on fait sans lui.

Toujours comme vieil éducateur, je suis profondément soucieux de l'importance de la transmission, dont j'ai déjà traité dans les chapitres précédents. Un grand-père m'a raconté ceci : « Mon petit-fils de 17 ans m'a initié à naviguer sur Internet. Au début de la première session, j'ai dit à mon petit-fils : "Tu sais des choses que je ne connais pas. Mais moi aussi, je sais des choses que tu ignores." Et mon petit-fils m'a rétorqué : "Oui, grand-papa, mais ce que tu sais, ça risque de ne pas m'intéresser." Je lui ai raconté plutôt des expériences qu'on a vécues lors de nouveaux changements techniques, par exemple la mécanisation qui nous a permis de ne plus être enfermés l'hiver dans nos maisons et notre village. Notre vie aussi a changé avec les arrivées successives de l'électricité, puis du téléphone, puis de la radio, puis de la télévision. « Ah ben, là, ç'a été tout un changement. On était tellement fascinés, ta grand-mère et moi, qu'on se parlait de moins en moins. Un peu comme toi, mon Luc, avec ta machine. Tu peux parler avec des gens au bout du monde, mais tu communiques peu avec nous, tes proches. » Suite à mon récit, mon petit-fils m'a sauté dans les bras. "Tout à l'heure, j'ai été dégueulasse avec toi." »

Ce petit récit marque bien que le premier lieu de transmission de la conscience historique est dans les rapports entre les générations. Rapport d'autant plus riche grâce à la longévité accrue.

De plus, les pratiques intergénérationnelles peuvent offrir un champ plus large et fécond aux jeunes générations pour inscrire leurs nouveaux apports.

Mais il faut noter ici une chose importante. Des esprits critiques, avec raison, soulignent le fait que les discours sur les valeurs sont souvent superficiels. Du prêt-à-penser. Des clichés. Du peu réfléchi et mûri. Bref, pas grand-chose pour se bâtir une solide philosophie de la vie et la capacité de lui donner du sens.

Par exemple, on peut faire bien des bêtises avec une liberté à courte vue, sans profondeur morale et spirituelle. Au fait, une telle liberté est un contresens ou même un non-sens. Elle ne sait être responsable ni répondre de ses dires et de ses actes.

La liberté est trop précieuse et essentielle pour être ainsi traitée. Il y a ici des enjeux graves et majeurs. La crise actuelle de la déresponsabilisation n'est pas étrangère aux libertés folles. Comment ne pas se rappeler le vieux proverbe : « Ô, Liberté ! Que de crimes on commet en ton nom ! » Ce propos critique s'applique à bien d'autres valeurs sur lesquelles il faudra revenir.

6. L'appartenance

Le sens et le degré d'appartenance sont un test important de la qualité de la société, de ses institutions, de ses citoyens et de ses rapports humains. Eh oui, l'appartenance est une valeur pivot, une nappe phréatique vitale, un repère-clé pour la construction et l'évaluation du tissu social et des liens sociaux.

Il n'y a pas de développement durable sans engagement durable, ni engagement durable sans appartenance durable.

Tout au long de ma vie active, j'ai appris que les véritables communautés et équipes de travail étaient les plus fécondes dans les institutions. Le sens du travail s'appauvrit quand il cesse d'être un lien social.

Bien sûr, il y a aussi des appartenances mystifiantes et antisociales quand des groupes font passer leurs propres intérêts au premier plan, comme si ceux-ci étaient d'intérêt général pour tous, même de l'ordre du bien commun, et pire encore, de portée égalitaire. On appelle cela du *corporatisme*. Un des pires problèmes advient quand une institution est aux prises avec des batailles internes entre groupes corporatistes. C'est particulièrement grave quand l'institution a une vocation sociale. Il en va de même quand un capitalisme sauvage met à pied des centaines de travailleurs pour maximiser le profit et les revenus des actionnaires. Ceux-ci votent alors pour de plus grosses rémunérations aux PDG. On ne saurait mieux susciter la désappartenance des employés de l'entreprise.

Plus profondément et largement, on se doit de reconnaître les très nombreux types de décrochage et de désappartenance dans notre société, tout autant dans l'espace privé que dans l'espace public. De la famille jusqu'à la société civile et politique, de la non-conscience morale jusqu'aux paradis fiscaux.

Autant de requêtes qui appellent l'importance de la dynamique fondamentale d'appartenances fortes et résolues. Requêtes aussi de valorisation de la dimension sociale pour contrer l'individualisme forcené dans la vie individuelle et collective.

On ne saurait passer à côté de ces graves problèmes et défis si on veut se forger un humanisme commun comme base de notre société. J'y reviendrai.

Pour le moment, j'attire votre attention sur l'interrelation entre les valeurs et les repères que j'ai présentée jusqu'ici. *Valeurs* et *repères* ne se conjuguent pas au singulier. Il y a interdépendance entre valeurs de durée et d'appartenance et d'éducation qui commande beaucoup de temps, de développement durable, d'avenir de long terme, de conscience historique et de profondeur morale et spirituelle. Il en sera question dans les prochains chapitres.

Je retiens une question qui me turlupine depuis longtemps. Se pourrait-il que la double condition de contribuable et de receveur de service s'accompagne de certaines contradictions tributaires d'une piètre appartenance à la société et au bien commun? Par exemple, maximum de services et minimum de taxes. «Je n'en ai pas pour mon argent.» Ce repère unique en dit long.

Un espoir! Des groupes – bien sûr, minoritaires – instaurent des mouvements sociaux et politiques pour lutter contre les inégalités croissantes et une scandaleuse concentration des richesses. Ces luttes commencent à susciter dans nos sociétés un plus grand souci de partages et l'apparition de nouveaux chantiers d'entraide. Ce sera le sujet du prochain chapitre.

Mais j'insiste. On critique beaucoup la bureaucratie avec ses lourdeurs, ses lenteurs, son manque de créativité, ses ronds de cuir. À trop se limiter à cette critique, on en vient à perdre de vue les sens et l'importance de ce qu'est une institution et ses rôles fondamentaux dans la société. C'est elle qui humanise et socialise les structures avec ceux qui en ont la charge, mais aussi avec le sens de l'appartenance de ceux qui en reçoivent des services.

Durant mes soixante ans de travail social, mes collègues de gauche me faisaient passer pour un vieux conservateur de droite quand je soulignais la gravité de la désinstitutionnalisation du mariage, de la famille, des pratiques sociales, et même des diverses formes de vie communautaire. C'est pire chez les militants anarchistes, qui peuvent décrédibiliser une institution en un rien de temps. Ici, au Québec, on en sait quelque chose.

7. Les autres (les tiers)

Toujours dans une perspective humaniste, on peut dire que le degré d'humanité d'une société se révèle surtout par le traitement qu'elle réserve à ses tiers, à savoir les enfants, les pauvres, les exclus, les malades, ceux qui n'ont que leur humanité à mettre dans la balance, hors des rapports de force entre les tenants de pouvoir ou d'avoir.

Ce sont ces tiers qui souvent nous humanisent et nous poussent à nous dépasser. Dans un monde déchiré de toute part, on peut se demander si la seule base commune qu'il nous reste n'est pas le rapport des adultes avec leurs enfants, et cela, sur les cinq continents.

Mais qu'il y ait encore des millions d'enfants esclaves ou soldats, comment ne pas voir là la plus grave barbarie, comme le sont les guerres modernes où des armes de destruction massive tuent aussi massivement des civils, femmes et enfants. Mais chez nous, il y a aussi des déshumanisations quand, dans les litiges entre adultes, on se sert des enfants pour régler ses comptes.

J'ai consacré ma vie aux enfants des autres. J'ai noté assez souvent qu'on est généreux pour ses enfants et ses petits-enfants, mais qu'en est-il des enfants des autres? J'arrive à ma dernière étape de vie avec une immense et profonde inquiétude sur ce que l'on est en train de transmettre aux petits enfants actuels et aux prochaines générations. Une terre dans un état délabré et une montagne de dettes, entre autres ruines. Plusieurs contemporains disent: « Heureusement, on ne sera plus là. On est bien chanceux. » Il faut à tout prix réviser nos positions là-dessus.

Une recherche actuarielle, hélas tablettée, laisse entendre que les nouvelles générations auront à payer beaucoup plus de taxes, de cotisations et d'impôts. Et puis, il y a l'autre possibilité qu'il y ait plus ou moins prochainement deux classes sociales: les héritiers et les non-héritiers. Il y a déjà deux classes: les protégés à vie et les précaires qui l'ont été tout au long de leur vie. Autre signe avant-coureur à savoir le phénomène inattendu de la première génération, depuis la dernière guerre mondiale, qui n'aura pas les conditions de revenus de leurs parents. Dans bien des groupes protégés à vie, on ne veut rien savoir des inégalités intergénérationnelles et des nouveaux partages à accepter en toute justice.

On peut espérer que la longévité permette des transmissions et de nouvelles solidarités plus qualitatives.

Par-delà le facteur générationnel, il y a des impératifs qui concernent toute la société. C'est le cas des valeurs humanitaires concernant la prise en charge des plus vulnérables. Même les meilleures politiques sociales ne peuvent remplacer les solidarités de milieu et les pratiques communautaires d'entraide. Mais il y a des styles de vie qui sont à contre-courant de ce souci. Je vais donner un exemple de déshumanisation amorale.

Je m'inspire d'un dossier publié dans le *New York Times*. On y présente une classe sociale de biennantis qualifiés d'« invulnérables ». Ceux-ci se donnent un aménagement et un environnement d'inaccessibilité la plus totale à toute forme de vulnérabilité et surtout pour les différents types de gens vulnérables (par exemple, l'exclusion des enfants).

Est-ce une nouvelle version du Titanic insubmersible ? Les « petites gens vulnérables » pourraient faire découvrir à ces invulnérables leur inhumanité.

Au cours de ma vie, j'ai été témoin de formidables exemples d'humanité dans des milieux où on prenait soin de tiers de diverses vulnérabilités.

8. La profondeur

Les valeurs morales et spirituelles sont deux valeurs fondamentales trop peu intégrées dans les pratiques individuelles et collectives d'aujourd'hui. Des esprits laïques aussi bien que religieux déplorent ce déficit intérieur.

Mais voyons d'abord le côté positif. Ces profondeurs silencieuses font place à l'âme et à la conscience. C'est là où se loge la vérité au fond de soi. Ce silence sait écouter l'autre. Il ouvre à plus grand que soi, tout en permettant de nécessaires retours sur soi, sur ses responsabilités. S'y cachent des sources et ressources de sens et de dépassement.

Ce fond spirituel et moral déborde les murs religieux. Il s'est déplacé vers les réalités terrestres et les enjeux humains les plus cruciaux, tels les droits fondamentaux, les assises de la vie gravement menacées, et même l'avenir de l'espèce humaine.

Au meilleur de notre société moderne, on a développé un nouvel art de vivre, une valorisation du présent, du corps, d'une vie plus qualitative et autodéterminée, et de plusieurs libertés pour tous.

Mais en même temps, au quotidien, il y a souvent des styles de vie superficiels, conformistes. En ce

pays, ce n'est pas l'insupportable pesanteur de l'intégrisme religieux qui nous menace le plus, mais
l'appauvrissement de l'âme et de sa profondeur de
sens, d'intériorité, de fortes motivations et convictions de foi et d'espérance.

Par ailleurs, on ne compte plus les nombreux
écrans et blocages de la vie intérieure et du moindre
recueillement. Par exemple, les médias et les appa-
reils high-tech, qui en mettent plein la vue et les
oreilles. Et le pouce qui surfe sur un flot d'images
qui nous projettent hors de nous-mêmes. Je dirais
même que trop souvent, nous nous absentons de
nous-mêmes. Et que dire de la quête incessante de
divertissement ? Québec Fun inc. !

Qu'on me permette ici une métaphore pour comprendre plus concrètement les conséquences de ces
blocages des deux valeurs qui sont au centre de notre
propos. En agronomie, on s'est rendu compte que
l'abus des engrais chimiques brûlait l'humus de la
terre au point que celui-ci devient incapable de
régénérer la vie. Il en va de même du virtuel omni-
présent, qui étouffe la vie réelle, le face-à-face rela-
tionnel, la rencontre intime avec l'autre, et surtout,
ce qui peut donner âme à ce qu'on vit, à ce qu'on
fait, à ce qu'on pense, à ce qu'on croit ou espère.

Heureusement, il y a chez plusieurs contemporains une mouvance prometteuse que j'exprimerais
comme ceci. On reprend du sens à sa vie et à ses

responsabilités en se reconstruisant d'abord du dedans de soi, avec un goût d'aventure intérieure, d'histoire intérieure, de vie spirituelle et d'altruisme engageant. Même la morale et sa justice deviennent un lieu spirituel d'engagement résolu.

Il n'en reste pas moins d'énormes déficits de ces deux valeurs fondamentales. De toutes les crises actuelles, celle de la morale est la moins prise en compte, malgré les hauts cris dont on lui fait écho.

Quant aux valeurs spirituelles, elles sont souvent refoulées à la marge des réalités et des pratiques où l'on trouve un vide spirituel. Dans des ouvrages collectifs de certaines de nos élites, c'est le silence quasi absolu à ce chapitre. Seuls des esprits littéraires nous parlent de l'âme !

Je souligne ici deux propos qui donnent à réfléchir :

- On reconnaît l'importance morale et éthique. Mais dès que l'on aborde un problème moral concret, plusieurs se défilent. On entend alors : « La morale, c'est uniquement personnel » ou « Je ne veux pas imposer ma morale. » À ce chapitre, il y a cet autre phénomène frappant, à savoir la disqualification du moindre trait moral dans un film, un roman, une émission de télé ou un article de journal. Tout de suite, on tire la gâchette du moralisme comme spectre à éviter.

- Lorsqu'il est question du spirituel, il y a souvent un interdit d'échange dans la vie courante. Même au moment où survient un drame qui nous bouleverse et qui, de façon évidente, fait appel à nos questionnements spirituels, comme, par exemple, lorsque l'on vit un deuil, le partage d'âme à âme, qui permettrait une entraide essentielle, est souvent impossible.

On dit que le *marché* occupe pratiquement la place principale du monde actuel. L'ultramatérialisme, quoi! La marchandisation a envahi les terrains les plus humains, même celui de la santé, par exemple, dans le passage du public au privé, dont les coûts sont souvent prohibitifs pour une bonne partie de la population. Cette marchandisation étouffe toute velléité d'humanisme spirituel de chair, d'esprit et d'âme. Comme on le verra, même la mort humaine est financiarisée par la business funéraire.

9. Les rites de deuil

Les rites de deuil sont porteurs du sens communautaire de la mort humaine et de ses adieux.

Encore ici, on mesure le degré d'humanité d'une société par le traitement qu'elle réserve à ses morts.

Lorsqu'il est question de la mort humaine, on observe davantage le caractère précieux de la vie, sa grandeur, sa beauté.

Le philosophe athée André Comte-Sponville, dans son dernier ouvrage sur la spiritualité, écrivait : « On n'enterre pas un mort comme une bête, on ne le brûle pas comme une bûche. Le rituel communautaire chrétien a humanisé et civilisé la mort. »

Depuis les débuts de l'émergence de l'être humain dans le monde des vivants, les rites communautaires de la mort, des adieux, ont laissé des traces. On en trouve des traces qui remontent à 100 000 ans, par exemple, dans les grottes de Gibraltar.

Même nos ancêtres lointains trouveraient barbare le va-vite des deuils et des adieux d'aujourd'hui. Je vais scénariser cela en présentant un exemple d'une chose que j'observe depuis un bon moment. Un père vient de mourir, sa femme est éprouvée et vulnérable. Ses enfants précipitent toutes les démarches avec la complicité de l'entre-preneur funéraire. Il y a là un je ne sais quoi d'in-sultant à la vie du défunt.

On est à cent lieues de réaliser que des funérailles ne sont pas un jour dans la vie du défunt, mais qu'il y a toute sa vie dans cet adieu. Un adieu qui recon-naît le sens et la portée communautaire de la mort.

Dans les débats autour de l'aide médicale à mou-rir, on ne mentionne rien de ce qui se fait après la mort. Pourtant, c'est ce qu'il y a de plus révélateur du sens ou du non-sens qu'on donne à la mort. Dans la culture narcissique dans laquelle nous baignons, le *Moi, Moi, Moi* se vit comme s'il n'avait rien avant *Lui* et après *Lui*.

Avec un certain malaise, un entrepreneur de pompes funèbres disait : « De plus en plus souvent, les familles veulent qu'on passe tout de suite leur défunt au four. » Redisons-le : le traitement des morts marque le degré d'humanité d'une société. Heureusement, il y a encore des rites funéraires laïques ou religieux de belle et de grande qualité, et parfois, ils sont accomplis avec une admirable dignité. Mais on ne saurait renvoyer sous le tapis le problème répandu de l'appauvrissement des rites communautaires du deuil.

• De toutes les croyances, celles de l'après-mort ont le plus périclité.

- La réduction de l'adieu à la symbolique des cendres rétrécit l'espace du deuil et son humanisation dans le partage communautaire des peines, des souvenirs autour du corps, et le riche symbole mort-vie dans sa mise en terre.

- En deçà et au-delà des croyances ou des non-croyances, il y a une quasi-disparition du sacré de la mort. Des esprits plus critiques disent que le monde occidental a pratiquement tout désacralisé depuis deux siècles. La mort en est l'ultime évacuation.

- Des psychosociologues évoquent surtout le règne de l'immédiat sans mémoire ni futur. Le four crématoire comme seul lieu se prête à ceux qui ne veulent même pas penser à la mort et ses adieux.

Encore plus inquiétant est le fait que la business funéraire assume toutes les démarches autour de la mort et ses adieux. Démarches toutes financiarisées. «On va s'occuper de tout», disent-ils.

Il y a aussi de quoi réfléchir sur ce qui se passe après l'aide médicale à mourir dans la dignité. Par exemple, l'absence de rite de deuil est révélatrice du sens qu'on donne à la mort. Un vieux proverbe dit que plus l'enjeu est grave et profond, plus on sombre dans le sans limites, s'il n'y a pas de bornes claires et solides. Par ailleurs, on ne saurait miser uniquement sur le juridique. Il faut valoriser la délibération, le discernement, la responsabilisation de tous les acteurs impliqués. Redisons-le, la mort est tout aussi profondément communautaire que personnelle.

10. Un testament spirituel

Un testament est plus qu'un legs matériel ou d'argent. Ce qui est le plus précieux pour les générations qui nous suivent, ce sont nos valeurs et convictions les plus profondes, ou encore, une foi qui a inspiré toute une expérience de vie. Si les volontés du défunt sont rattachées à ce fond humain spirituel, les délibérations des héritiers autour du testament en seront plus saines, dans tous les sens du terme.

À tort ou à raison, il me semble qu'on a peu réfléchi sur les sens sociaux, culturels, moraux et spirituels du testament.

Toutes les expériences de la vie, même les plus banales, peuvent receler un ou des sens cachés quand on les considère dans une perspective de partage de la mémoire et avec un regard plus intérieur.

Peu avant sa mort, mon vieux père m'a dit, simplement et modestement : « J'ai fait mon gros possible. » Il m'a renvoyé à toute sa vie, tout en ressuscitant paradoxalement des souvenirs oubliés. Ce fut sa dernière transmission, peut-être la plus significative, pour continuer ma propre route avec ce court adieu « spirituel », mais qui a tellement d'âme.

Il n'en reste pas moins que le testament écrit peut mieux se transmettre aux générations qui nous suivent. Depuis des décennies, j'incite les aînés à faire le leur. Mais d'entrée de jeu, plusieurs se demandent comment s'y prendre. Je leur dis que c'est d'abord en faisant le récit de leur vie qu'ils vont trouver les mots pour le dire.

Mais je n'ignore pas que beaucoup d'aînés et particulièrement de retraités, par leur style de vie, s'enferment dans un monde à eux. Et puis il y a un autre type de vie d'isolement qu'on idéalise un peu trop. Il s'agit de tout concentrer dans son domicile privé. Des recherches récentes ont souligné le fait qu'il y a de plus en plus d'aînés qui vieillissent seuls et meurent seuls.

Bien sûr, il y a des aînés dont le style de vie est fort bien intégré dans la société et qui demeurent en contact avec les autres générations. Je pense à ce beau phénomène social des grands-mères rassembleuses, qui représentent l'un des derniers maillons solides de l'intergénération actuelle. Ce sont elles qui sont le plus en mesure de laisser un testament spirituel.

Mais des aînés de tous les différents styles de vie pourraient faire du bien en s'investissant dans la transmission de leur testament spirituel. Une démarche qui remplit de vie même leur mort et leurs adieux. Un enrichissement de tous ordres, quoi!

Heureusement, des aînés s'organisent des groupes d'entraide pour s'initier à rédiger leur propre testament spirituel.

Je souligne deux bienfaits de cela. Le premier est de redonner au testament spirituel son statut de valeur vécue et inestimable. Et le bienfait du caractère précieux d'un témoignage et d'un exercice de sagesse. Un bon vieux proverbe dit encore qu'on a besoin d'âge pour être sage, mais que le grand âge ne donne pas forcément. Il faut la cultiver.

J'ai eu le privilège de lire des testaments de nos ancêtres chrétiens du XIXᵉ et du début du XXᵉ siècle. Il y avait là une expérience, une intelligence, une spiritualité qui n'avaient rien de la Grande Noirceur tant décriée aujourd'hui.

Dans mon dernier ouvrage (*Pour une spiritualité au quotidien*, Novalis, 2013), inspiré du meilleur de notre culture moderne, j'ai exploré neuf voies d'accès au spirituel dont l'une ou l'autre pourrait être choisie dans son testament spirituel.

11. L'humanisme

Aujourd'hui, le spirituel prend une ampleur qui déborde les murs des églises, mosquées et synagogues pour envahir même les esprits les plus séculiers. Le spirituel a quelque chose de l'esprit du respect face à ce que l'être humain a de sacré, d'indéfinissable, de transcendant, sans lequel une base sociétale commune ne saurait mériter l'assentiment de tout un chacun. Un humanisme spirituel qui relie les grandes traditions historiques, philosophiques et religieuses a la profondeur morale et spirituelle des enjeux cruciaux actuels et à venir.

Mais nos graves problèmes de société et leurs profondeurs morales et spirituelles ont eu cet effet que je résume ainsi : « Nous sommes confrontés aux tâches les plus matérielles et aux tâches les plus spirituelles. »

C'est dans cet esprit qu'un groupe de gens m'ont interpellé pour réfléchir avec eux sur ce que peut être une spiritualité laïque au quotidien. Dans ce groupe constitué d'une centaine d'individus, il y avait là tout l'arc-en-ciel des postures religieuses, humanistes, agnostiques ou athées. Contre toute attente, j'ai trouvé là un fond spirituel commun qui m'a fait penser à ce propos de Dostoïevski : « Les êtres humains partagent les mêmes questions les plus fondamentales de la condition humaine, même s'ils en donnent des réponses différentes.» En contrepoint, lors des oppositions belliqueuses autour de la Charte des valeurs, il y avait dans notre groupe des échanges respectueux et civilisés et d'étonnantes réciprocités. Si bien que je me suis senti à l'aise de poser cette question: «Maintenant que vous savez que vous partagez un même fond spirituel, pensez-vous que l'on peut travailler à construire un humanisme spirituel susceptible de contribuer à la construction d'une base sociétale commune respectée de tous avec leurs différentes identités, cultures et appartenances?»

Nous vivons présentement un tournant historique très important. Nous sommes dans un nouveau contexte de sens où il nous faut repenser nos rapports à la nature, aux valeurs, au sens de la vie, à la morale, aux croyances, aux étapes de la vie, au vivre ensemble; non seulement repenser, mais *refonder* ces éléments constitutifs de la vie humaine personnelle et collective.

Les enjeux actuels sont tellement graves et profonds qu'il nous faut plus que jamais une communauté de destin universelle. C'est la première fois dans l'histoire que l'humanité est «une», alors que les communautés humaines jusqu'ici se définissaient séparément. J'y reviendrai.

À la toute dernière étape de ma vie, j'ai le pressentiment que le lot de la très grande majorité des humains au XXIe siècle, y compris chez nous, sera surtout de l'ordre de la *survie*. Je fais le pari que les énormes problèmes et défis actuels et surtout futurs auxquels nous faisons et ferons face pourraient nous amener à aller chercher au fond de nous des forces insoupçonnées pour rebondir et nous serrer les coudes, nous qui sommes tous dans le même bateau (sans l'aveuglement des passagers du Titanic).

La longue histoire humaine a été marquée d'étonnants rebonds, de peuples et de sociétés aux prises avec des défis jugés insurmontables. Pour nous, le plus grave déficit serait de ne plus croire en l'avenir. Qui sait, il y a ici et maintenant quelque chose de l'utopie d'une nouvelle et plus grande appartenance, celle de la famille humaine.

Je termine sur une note plus personnelle qui a trait à ma propre posture comme chrétien et prêtre. Je vis en fin de parcours une sorte de renversement. Je viens d'une société traditionnelle où tout était religieux. Et c'est de là qu'on vivait, comprenait et assumait la vie. Aujourd'hui, la démarche est inversée : ce qui est premier, c'est notre condition humaine, notre être-au-monde, notre vie profane séculière laïque… Les réalités terrestres, quoi ! Nous avons quitté le ciel québécois comme seul lieu de sens véritable, au-dessus de la terre, vallée de larmes.

Je caricature à peine. Les décennies qui ont suivi ont été marquées par une dynamique moderne non religieuse, une libération des carcans d'hier, une réappropriation de la conscience et une étonnante créativité.

À ce chapitre, comme croyant chrétien, je me sens à l'aise avec les philosophes athées Luc Ferry et André Comte-Sponville, qui ont une spiritualité de la transcendance humaine sans Dieu. Or, fait étonnant, il y a dans le christianisme un déplacement de la transcendance divine à la transcendance humaine. C'est un des sens de l'Incarnation de Dieu en Jésus de Nazareth. Je cite saint Paul. Dieu s'est vidé de sa condition divine pour se faire humain comme nous avec cette touche évangélique de la défense de ceux qui n'ont rien d'autre à faire valoir que le fait d'être humain. Ce n'est pas d'abord la religion qui démarque les êtres aux yeux de Jésus-Christ, mais leur humanité ou leur inhumanité. Avec cette conviction, j'ai toujours refusé dans mes engagements citoyens et laïques de laisser mon humanisme évangélique entre les murs de l'église.

12. La foi

Beaucoup de gens se vantent de ne plus croire en rien, mais en même temps, ils sont prêts à croire en n'importe quoi.

« Une société qui collectivement *ne croit plus* perd toute foi en elle-même et devient incapable de rassembler l'énergie requise pour faire face à l'avenir et ce qu'il faut pour se mobiliser autour d'un projet politique, industriel, scientifique ou éducatif. » (J.C. Guillebaud)

En termes simples, on ne peut rien entreprendre si au départ on ne croit pas à sa réussite.

Au niveau de l'éducation, qu'arrive-t-il à des jeunes qui sont entourés d'adultes qui ne croient en rien ? Mettre un enfant au monde devient plus qu'un acte de nature, d'amour ou de raison, c'est souvent un acte de foi.

D'autres disent qu'aujourd'hui, il est plus difficile de croire en l'humanité que de croire en Dieu. C'est de là que surgit l'importance d'un humanisme spirituel qui établit un lien entre la perte du croire et la perte du sens de ce qu'il y a de plus profond dans la condition humaine et avec son âme et conscience. Là où se logent les plus fortes convictions et dépassements.

Je veux souligner ici un phénomène qui a cours autant chez les esprits laïques que chez les esprits religieux, à savoir une dispute intérieure entre la croyance et l'incroyance.

Il n'en reste pas moins que le croire a besoin de vis-à-vis critiques.

Le « croire » auquel parvient la spiritualité laïque doit d'abord être *sensé et compréhensible* : rien d'ésotérique, rien qui ne puisse être objet d'une réflexion, d'une discussion, d'une contestation, d'un débat.

Il doit aussi être *éthique, défendable moralement* : il ne doit pas prêter flanc aux dérives de la manipulation, de l'exploitation de la crédulité ou de la dépendance.

Il doit être *bien ancré dans le réel* et *soucieux du principe de réalité* : ni déni, ni fuite, ni repli nostalgique sur un passé plus ou moins idéalisé.

Il doit aussi être *culturellement pertinent* dans les façons de vivre, de penser et d'agir, qu'il fonde et soutient : critique par rapport au monde actuel et aux idées dominantes, il ne saurait s'enfermer dans une bulle religieuse ou idéologique, y compris laïque.

Ce « croire » doit être transmissible : loin d'être une affaire strictement individuelle, il doit être ouvert au jeu des échanges entre le Je, le Tu, le Nous et les autres. Le « croire » transmissible est tributaire de la situation des rapports et liens sociaux, donc des assises du réel profane, séculier, laïc.

Le croire est devenu plus personnel, et c'est tant mieux. Mais j'ai l'impression que l'individualisme s'est prolongé dans une spiritualité barattée rien que pour soi-même. Ta spiritualité est tellement unique qu'elle ne peut être transmise aux autres qui ne te comprennent pas, parfois pas plus que tu ne te comprends toi-même, parce que tu n'as pas de vis-à-vis pour te mettre au clair avec tes affaires. Et même ta spiritualité devient dangereuse parce que tu sacralises, tu absolutises ton spirituel et les croyances que tu as bricolées. Croyances souvent pigées dans des systèmes, des cultures, des religions que tu ne connais pas, ou si peu.

Mais redisons-le, le « croire » laïque ou humaniste concerne les couches profondes de l'âme et de la conscience humaine. Il s'appuie sur les ressorts spirituels de foi, d'espoir, de convictions, de dépassements et de transcendance. L'histoire contemporaine est riche d'exemples de personnes, de peuples et de sociétés sans Dieu qui ont eu à surmonter de très dures épreuves. Il arrive que leur témoignage incite à aller chercher en soi des ressources spirituelles qu'auparavant on ne soupçonnait pas.

13. Les vieilles valeurs

J'en retiendrai d'abord une qui faisait partie des mœurs d'hier et de leur profondeur morale et spirituelle. C'est aussi une valeur plus ou moins absente comme référence pour la conduite individuelle et la société médiatique d'aujourd'hui.

Il s'agit de la *pudeur*, la plus discrète des valeurs, la plus intime, la plus fine de l'âme. Une valeur de civilisation. Une valeur porteuse du respect de soi et des autres. Une valeur qui conjugue la modestie et la noblesse. Une valeur qui nous enseigne le sens des limites. Une valeur de discernement, de sagesse et de jugement. Une valeur précieuse pour toutes les autres valeurs : l'amour, la liberté, l'éducation, et même la foi en Dieu. Une valeur qui aide à développer la maîtrise de soi et l'intériorité. Une valeur qui concerne l'intimité de nos âmes comme celle de nos corps, le sacré de la vie et de la mort. Une valeur qui témoigne de la capacité de respecter la vie privée, la confidence ou un secret à ne pas violer. Une valeur dont nos ancêtres reconnaissaient plus que nous l'importance, la pertinence, la dignité et la touche spirituelle.

Voyons un premier propos tiré d'une l'entrevue de groupe :

> « Ce qui me scandalise au plus haut point, c'est la vulgarité croissante dans les médias et ailleurs, aussi bien dans la façon de parler, de s'habiller ou de se comporter. C'est à qui parlerait le plus cru, le plus "sacrard", le plus "joual ". La pudeur est démodée. Mais de dire cela, c'est passer pour un vilain moralisateur. Mais ce qui me donne un peu d'espoir, ce sont les récents sondages qui révèlent que, de toutes les valeurs, c'est le respect qui est au premier rang, le respect des autres, le respect de soi. »

Dans la foulée de ce propos, il est bon de savoir que la notion de respect est un combat constant pour les enseignants, qui rivalisent d'imagination pour l'inculquer aux jeunes.

D'autres professeurs disent que l'impolitesse a commencé quand les élèves sont passés du *vous* au *tu*. Qu'on soit rendus à l'intimidation, y compris celle à l'endroit des professeurs, cela veut dire qu'il y a un très grave problème dans nos mœurs actuelles.

La politesse consiste à laisser entendre qu'on se soucie de quelqu'un d'autre, les bonnes manières déterminant les règles d'un espace commun. Vue ainsi, la politesse est un fondement de la civilisation. Mais il ne faut sans doute pas dire qu'il y a peut-être là-dessous une possible décadence, sinon un déclin de civilisation. Bien sûr, il y a beaucoup de nuances à y mettre.

Mais je suis souvent médusé par l'incapacité que l'on a de se rendre compte qu'on est en train de se dire ou de faire des choses qui sont des «barbaries à visage humain». Par exemple, quand on justifie des actes profondément immoraux par leur dite légalité, parfois en passant par des juges, qui en restent là aussi.

Ce propos ne concerne pas seulement des individus. On le voit trop souvent dans les cas des énormes fraudes du monde financier. À témoin, l'impossibilité de sanctionner les paradis fiscaux et leurs recours à un juridisme complice sans pudeur ni conscience morale. Et cela dans un monde aux prises avec des inégalités et de la pauvreté croissante. C'est en bloc que le monde financier ne fait pratiquement rien pour vraiment changer ce système on ne peut plus pervers. Toutes les banques au Canada jouent le jeu.

Et puis il y a l'âme

Bien sûr, on me dira, non sans raison, que la valorisation du corps est un des nouveaux et précieux traits de l'art de vivre aujourd'hui. Mais on semble peu s'inquiéter de l'appauvrissement de l'âme, de son vide spirituel, des sens et des forces qu'elle inspire. Certes, l'âme n'est pas morte, par exemple quand on dit : «Mon école n'a pas d'âme» (une étudiante aux États généraux sur l'éducation). Il en va de même dans ces expressions : un corps sans âme, un style de vie sans âme, une politique sans âme...

De quoi parle-t-on au juste dans nos débats autour de la laïcité et de la religion? J'ai le sentiment qu'on abaisse l'une par l'autre. Qu'est-ce qui les fonde et les dépasse en même temps? C'est avec l'âme qu'on peut relier la finitude humaine et notre capacité de l'infiniment dépasser. L'âme est le premier lieu de la transcendance humaine. Je me méfie de son absence tout autant de la laïcité que de la religion. Georges Steiner disait : «Dans les camps nazis, ces bâtards de meurtriers sadiques n'ont pu s'approprier nos âmes. »

Dans l'histoire occidentale, la référence à l'âme a été un lieu très important de questionnement sur la condition humaine, sur l'interprétation du monde, sur le sens de la vie, sur l'intériorité et l'engagement durable. En parlant de l'âme, Einstein s'en prenait tout autant aux scientistes qu'aux curés qui dépouillent le monde de son mystère. Plus près de nous, il y a une réduction du spirituel au neuronal, et l'âme devient alors l'ultime résidu du religieux à évacuer.

Et pourtant, dans la vie réelle, on entend des cris, des appels autres : « On n'a même plus les mots pour dire nos bleus à l'âme. »

On ne saurait trouver la force de l'âme de nos ancêtres dans les grimaces de l'Halloween, les cadeaux de Noël, les chocolats de la Saint-Valentin, les cocos de Pâques, les frasques des Bougons, le spectacle hypersexualisé de la télé-réalité, et surtout quand le divertissement permanent prend presque toute la place dans la société spectacle. Bref, le Québec Fun inc.

Nous avançons d'un pas toujours décidé
Vers une vie toujours plus creuse
Bronzés, minces et musclés
Mais nous payons le prix d'une négligence
L'oubli de l'âme

Christophe Lamoure

Il ne s'agit pas de discréditer le monde d'aujourd'hui. C'est plutôt une invitation à mieux intégrer l'âme et la conscience dans nos regards sur ce qui nous arrive et dans nos tâches les plus cruciales. Mais je vous avoue que je vis parfois un certain vertige devant ce que j'appelle l'insoutenable légèreté des croyances, comme des incroyances, ici au Québec.

Par exemple, je pense au fait troublant que les librairies débordent de livres d'ésotérisme, de psychologie pop, de recettes de tous ordres, de biographies de vedettes, etc.

Comme éducateur, je me demande, comme bien d'autres, si une des difficultés du monde scolaire ne vient pas d'un environnement envahi par un flux d'audiovisuel quasi perpétuel qui carbure aux courts tweets, sans distance critique pour permettre une réflexion sur l'univers virtuel. Google renseigne sur tout, même le calcul et l'orthographe.

À se demander si on ne fabrique pas des êtres horizontaux qui surfent sur la médiocrité, sans culture antérieure à l'individualité qu'on dit tout posséder en soi. Étrange certitude qui, par ailleurs, n'a pas de profondeur d'âme.

J'avoue que cette réflexion est exigeante, mais il faut s'y attaquer, car le problème est aussi immense et complexe que grave[*].

La vocation

Elle ne concerne pas seulement l'esprit religieux, car elle est d'abord de notre réalité terrestre, séculière et laïque. Elle est tout à la vie, aussi vitale pour l'âme et la conscience que le soleil et la pluie pour verdir la terre et produire des fruits.

---

[*] À lire : Jacques Godbout, « Les mutants sont parmi nous », *L'Actualité*, 1er juin 2015, pages 62-63. Et François-Xavier Bellamy, *Les déshérités ou l'urgence de transmettre*, éd. Plon, 2015.

Mais la vocation est fondamentalement altruiste. C'est avec elle qu'on surmonte les coups durs, qu'on fonce vers l'avenir. Quand on quitte cette terre, il ne reste que ce que l'on a donné. La vocation est le spirituel incarné, lové jusque dans les ultimes plis et replis de notre visage.

Les plus beaux êtres que j'ai connus dans ma vie, croyants ou non, avaient en commun un souffle vocationnel altruiste. Plusieurs étaient l'âme de leur milieu. Des êtres modestes, attentifs aux plus fragiles, sans prêchi-prêcha, plus exigeants envers eux-mêmes qu'envers les autres. Leur vérité était avant tout dans leur façon d'être et d'agir. Je pense à certains maîtres qui m'ont marqué profondément. Des jeunes nous ont parlé de leurs grands-parents en ces termes : « Eux, ils ont tenu le coup, ils ont traversé de dures épreuves ; on a besoin de leurs valeurs, de leur force tranquille. Ils ont fait la preuve qu'on peut aimer longtemps. »

Comment ne pas reconnaître que notre société, centrée plus que jamais sur une logique d'individu insulaire, a besoin d'un nouveau souffle altruiste ? N'est-ce pas ce souffle qui a inspiré la plupart des gens de notre génération ? Il serait dommage que le monde des aînés se replie sur lui-même, sur ses loisirs, sur un style de retraite décroché des enjeux sociaux. Diable, n'est-ce pas notre génération qui a façonné cette nouvelle société qui a pris corps au lendemain de la dernière guerre mondiale? Nous l'avons fait avec un grand souci vocationnel pour l'avenir. Ce feu, cette conviction, cette façon d'être ont marqué toute notre vie affective. Il ne faut pas défaire ou contredire dans la dernière étape de notre vie ce qui en a été le sens majeur, surtout en ce tournant historique qui appelle un surcroît d'altruisme. S'il est une valeur précieuse que les aînés peuvent transmettre aux générations futures, c'est bien celle-là. Redisons-le : *il ne restera de nous que ce que nous aurons donné.* Erikson disait : « Nous sommes ce qui nous survit. » Qu'on pense en termes humanistes ou spécifiquement chrétiens, c'est là, peut-être, le premier lieu concret de la transcendance, de la foi, de l'espérance, et, bien sûr, de l'amour et la justice… et aussi du bonheur. N'avons-nous pas souvent trouvé nos plus beaux moments de bonheur dans nos expériences altruistes de dépassement?

Je pense à cette vieille dame qui me confiait à la fin de sa vie ses doutes sur l'existence de Dieu, mais qui ajoutait ceci : « En tout cas, je ne regrette rien, parce que ma foi chrétienne a été un dynamisme extraordinaire pour bien vivre, bien aimer, bien faire, bien travailler. À Dieu va! »

Et dire que d'aucuns croient que leur foi vient de la Grande Noirceur!

Mais comment parler de vocation sans y mettre une touche personnelle, si tant est qu'on admette que la vocation engage nos convictions les plus chères, notre fibre la plus intime? En traiter personnellement, c'est aussi inviter l'autre à faire état de la sienne.

Je ne puis faire état de la mienne sans passion, tellement elle a été au centre de toute ma vie, de son sens, de son horizon, de ses épreuves, de mes efforts de dépassement. C'est grâce à elle que j'ai gardé une verdeur de printemps. Une *ferveur*. Cet autre beau vieux mot spirituel toujours aussi jeune d'âme! La vocation *enamoure* mes tâches les plus modestes comme les plus importantes. Elle m'a attaché profondément à Dieu et à ceux dont j'avais la charge.

Le fabuleux professeur athée Jean Duneton, dit ceci: «Notre profession est tellement exigeante que si tu n'as pas la foi et la dynamique vocationnelle, tu es candidat au décrochage, surtout quand on disqualifie l'importance et le sens fondamental de ce qu'est un "maître".»

Encore aujourd'hui, ce sont les vrais maîtres qui réussissent le mieux, même au milieu des crises actuelles de l'autorité. J'ai trouvé chez eux souvent une touche spirituelle laïque vraiment vocationnelle.

14. L'état des mœurs dans l'évolution de la famille

En introduction de cet ouvrage, j'ai souligné l'intérêt d'examiner l'état des mœurs et leur importance dans l'intelligence de l'évolution de la société.

Parmi les lieux révélateurs de cette évolution, il y a la famille et son parcours historique et actuel, particulièrement ici au Québec. Parcours de la famille rurale jusqu'aux différents types de famille, aujourd'hui. Il y a beaucoup d'interrelations et d'interactions entre le « micro » familial et le « macro » sociétal. Ce que les analystes culturels, sociaux et politiques prennent trop peu en compte.

Rappel historique

Autrefois, on définissait la famille comme la cellule de base de la société. C'était le cœur central des mœurs définies par le système religieux et moral, et aussi le système juridique. La famille couvrait toutes les dimensions individuelles et collectives.

Avec l'industrialisation et surtout l'urbanisation, la famille a été délestée de plusieurs de ses fonctions. Il se pourrait que le baby-boom d'après-guerre et de la prospérité qui en a suivi vienne de ces changements qui ont eu possiblement l'impact de valoriser la famille pour elle-même chez leurs parents.

Mais une autre mouvance s'est produite avec la modernisation de la société, à savoir la possibilité d'une vie individuelle plus autonome, et, grâce aux nouveaux moyens de contraception, d'une régulation des naissances. Après la famille nombreuse, tout s'est passé comme si commençait une dénatalité qui allait se prolonger jusqu'à aujourd'hui.

Au cours des années 1960, 1970 et 1980, on a fait plusieurs procès aux familles nombreuses d'hier, de la famille traditionnelle, du patriarcat (surtout clérical) du type autoritaire de l'éducation, du carcan religieux et moral de la famille, etc. Contre toute attente, cette critique a été refoulée au cours des années 1990 et davantage par la suite.

Une revalorisation inattendue

Sondages et recherches, opinion publique et médias, publicité et reportages révèlent une indéniable revalorisation de la famille. Jeunes et adultes de notre recherche maison nous ont dit en grand nombre l'importance qu'ils accordaient à leurs parents, à leurs enfants. Réussir sa famille devient une des priorités, et cela en dépit de toutes les incertitudes, de tous les échecs que l'on connaît bien. «Moi, mes parents, c'est extrêmement important» et «Un de mes grands objectifs, c'est de bâtir une famille heureuse et solide», nous ont dit beaucoup de jeunes. C'est même, pour eux, comme un défi passionnant à relever. Il en va ainsi chez les jeunes adultes. Les aînés de divers groupes d'âge, malgré tant de tensions et de ruptures, considèrent la famille comme un des rares lieux d'humanisation dans notre société et d'intégration des diverses dimensions de la vie.

Et ce n'est pas par nostalgie de la famille d'hier. On souligne plutôt les progrès qualitatifs de la modernité en ce domaine: une vie de couple plus significative, un style de famille plus ouvert et plus libre, des rapports parents-enfants plus riches et plus souples, un souci d'autonomie de chacun, chacune. Les propos de cet ordre tiennent davantage de l'idéal à atteindre. Mais n'est-ce pas déjà un signe d'espoir, de relance, sinon de nouvel intérêt? Intérêt, bien sûr, marqué d'ambigüités, d'ambivalences, de quant-à-soi inquiets évoqués souvent en fin de phrase... «C'est peut-être utopique aujourd'hui.» Il y a aussi la famille-repli, refuge, qui sert de fuite face à la société dite impossible. Famille-hôpital pour panser les blessures de la vie, pour reprendre une expression de T. Parsons.

Nous explorerons les divers types de familles, de couples, de parents et d'enfants qui correspondent les uns aux autres. À titre d'exemple : le couple associatif, la famille club, l'enfant partenaire et le parent alternatif, avec les pratiques qu'on y privilégie et les problèmes qu'on y rencontre. Mais n'anticipons pas les choses.

Une de nos interviewées, dans la cinquantaine, exprime très bien ce nouvel horizon symbolique de revalorisation de la famille. Elle explicite ce que d'autres nous ont dit par bribes, mais avec autant d'intensité :

« Les enfants, ça va chercher en toi des ressources d'humanité, des dépassements dont tu ne te serais pas crue capable. Un enfant, c'est un long et beau projet durable, fascinant, passionnant qui peut inspirer d'autres projets individuels et collectifs. On est dans une société déprimée, bloquée, sans projets. La famille en serait la première victime. On pourrait voir les choses autrement, en inversant ce regard. Un enfant, ça te donne une dynamique de vivant, de fécondité, de rêve à réaliser, ça t'empêche de démissionner face à l'avenir ; ça t'empêche de retraiter, de te dire qu'il n'y a plus rien à faire dans ce monde impossible. Il y a un goût amer de mort dans cette attitude. Moi, je vois un lien fort entre risquer des enfants et foncer dans l'avenir, leur bâtir un monde qui a plus d'allure. Oui, il y a un lien entre ça et la volonté de nouveaux projets collectifs... Même si, parfois, ça te désespère de les voir aller tout croche. Tu gardes un espoir malgré tout, tellement les enfants suscitent en toi le goût de te battre pour eux, avec eux. Regarde comment des parents parlent avec tendresse et entêtement d'amour de leurs petits monstres attachants, de leur conne de fille, de leur grand gars blessé qui se cherche. C'est plein de vie, plein d'humain, d'espérance en dépit de tout ce qui arrive. Même quand il y a divorce, famille reconstituée. Chez combien de nos amis, être père, être mère, tout faire pour leur gars, leur fille, c'est dans leur vie quelque chose de très, très important, comme si c'était le meilleur d'eux-mêmes qui s'exprimait, se vivait là-dedans. »

Il nous est apparu impératif de dégager cette tendance positive, prometteuse, au début de ce chapitre, où l'examen rigoureux de la situation actuelle de la parentalité touche les cordes les plus sensibles et suscite très souvent une crainte inhibitrice, celle d'être soi-même jugé injustement ou autrement. Même si la famille voit ses cotes monter à la bourse des aspirations nouvelles, elle n'en demeure pas moins l'objet de très durs procès. Les parents d'aujourd'hui en savent quelque chose, en particulier les baby-boomers.

Des diagnostics à revoir

Plusieurs analystes de la génération des baby-boomers font un bilan critique très pessimiste de ceux-ci comme parents. La liste est longue et accablante :

- dénatalité, divorce, monoparentalité, effondrement de la légitimité de l'autorité parentale, enfants et adolescents perturbés, *adulescence* de pseudo-adultes narcissiques, et même fixation à l'enfance chez plusieurs, psychologie d'éternels célibataires chez d'autres ;

- désinstitutionnalisation de la famille au point de devenir une « pension » pour ses membres ;

- faisceau inextricable de crises d'identité liées à la négation des différences de sexes, de rôles, de générations ;

- échanges réduits aux satisfactions immédiates qu'ils apportent ; opposition simpliste et anti-éducationnelle entre norme et bonheur, entre une totale liberté réclamée et la revendication d'une sécurité intégrale affective ou autre ;

- contradiction aussi entre une affectivité fusionnelle et une volonté très poussée d'autonomie personnelle, qu'il s'agisse des rapports entre conjoints ou des rapports entre parents et enfants ;

- malaise masculin et paternel grandissant devant la nouvelle dynamique de la femme, qui se prolonge dans un clivage semblable entre garçons et filles (le décrochage scolaire, par exemple) ;

- l'enfant, ultime bien à se procurer après tous les autres, pour s'accomplir soi-même, pour combler un vide. Enfant-roi surinvesti affectivement, chargé de toutes les aspirations narcissiques des parents ;

- incapacité de faire face à la nouvelle austérité imposée par une crise économique inattendue ; refuge face à une société impossible, mais pour se retrouver dans des familles reconstituées difficilement gérables ;

- mais surtout désarroi, incertitude et impuissance devant l'accumulation de problèmes moraux, sans philosophie pertinente ni culture cohérente pour les assumer.

« Trop, c'est trop », nous ont répété la plupart de nos interviewés. « Ce sont là des problèmes de société qui affectent tout le monde. » Malaises de civilisation dont la famille, plus que toute autre institution, écope. Plusieurs ont insisté pour nous dire que leur génération était elle aussi frappée par le chômage, les mises à pied, l'échec de l'État et de la politique, les problèmes sociaux de toutes sortes. Sans pour cela nier leur part de responsabilité.

Des quadragénaires, hommes et femmes, ont parfois quatre générations à gérer.

« J'ai 49 ans, ma femme et moi, nous avons à la maison notre fille récemment divorcée, avec ses deux enfants. Je m'occupe de mon père gravement malade. Et ma femme passe beaucoup de temps pour soutenir sa grand-mère qui souffre d'Alzheimer. Le dernier de mes enfants n'en finit plus avec ses études. À 29 ans, il n'est pas encore casé. Il est encore dépendant de nous. Il est humilié, agressif. Il y a une chose qu'on ne dit jamais à propos de notre génération, c'est qu'elle est au centre de toutes les autres, comme si elle devait supporter toute la société, une société tout à l'envers. C'est vrai que plusieurs d'entre nous, on a été gâté par la prospérité aisée. On n'est pas tellement prêt à cette nouvelle situation. Mais on essaie d'y faire face avec courage. Je parle de ceux qui ont des enfants, en tout cas. »

D'autres, dans leur récit de vie, ont mis davantage en lumière les progrès accomplis par leur génération. Voici le témoignage d'une femme de 57 ans :

« La vie est faite de transactions et cette capacité de négocier est un signe de maturité. Dans la famille traditionnelle, on ne négociait pas. On suivait aveuglément les règles établies. Il n'y avait pas de solutions de rechange. "Endure ton sort, ma fille." Nous avons vécu une véritable libération et nous y avons contribué. Nous nous sommes donné des règles plus humaines de fonctionnement. C'est plus ouvert, plus libre, plus équitable, plus authentique, même si c'est plus risqué de ne pas avoir un chemin tout tracé d'avance. Les cheminements sont plus divers, plus riches, plus authentiques, plus vrais. On respecte plus les enfants, leur autonomie, leur vie propre d'enfant. On ne marche pas à coups d'interdits comme jadis. On fait des erreurs, y a plus de ruptures, mais c'est peut-être le prix à payer pour un style de vie et d'amour plus libre, plus exposé. Moi, je pense que tout cela, c'est plus humain, plus vrai. On n'est pas tous figés dans un même moule comme individu, comme couple, comme parents, comme famille. On est plus des personnes entières, uniques. On n'est pas enfermé dans un rôle qui définit toute ta vie. Il y a plus d'espace pour respirer, pour dialoguer, pour faire sa propre place, pour faire son propre chemin. J'idéalise peut-être un peu beaucoup, mais c'est ça, notre idéal. J'aime mieux ça que ce qu'il y avait hier. »

Comment ne pas reconnaître la part de vérité de ces visées de la famille moderne ? Il y a de la santé dans ces propos, même s'ils cachent un peu trop bien les déficits et les échecs de bien des pratiques évoquées. Le moins qu'on puisse dire, c'est que la famille n'a pas perdu de son importance, malgré les incertitudes qui pèsent sur elle. Il y a eu des progrès qualitatifs dont on a peut-être mal pris la mesure, sans doute à cause des énormes problèmes sociaux d'aujourd'hui qui bouleversent la famille, la rendent vulnérable et l'exposent à des crises de tout genre. La confiance et l'amour seraient une clé, comme le dit ce père de famille de 42 ans :

> « Il n'est pas facile d'être parent aujourd'hui. Il y a bien d'autres influences qui jouent sur nos enfants, des influences qui défont trop souvent ce que nous essayons de faire. Il faut se battre contre la publicité qui fausse toute l'éducation. Y faudrait surveiller à longueur de journée ce qu'ils voient à la télévision, dans les vidéoclips. Ce qui est impossible. Mais tu ne veux pas, tu ne peux pas faire la police. Alors tu risques de faire confiance en te disant : si je leur donne le meilleur de moi-même avec beaucoup d'amour, ils auront là une base pour la vie entière. »

Nous retrouvons ici cette brûlante humanité dont nous parlions au début de ce rapport de recherche. Vit-on dans le domaine de la famille comme dans bien d'autres, une transition historique où les anciens modèles ne tiennent plus, et où les nouveaux n'ont pas encore trouvé leur consistance, leur cohérence? Nous avons signalé tout au long de ce rapport des tendances et mouvements souterrains qui nous semblent fournir des clés de compréhension.

Vers un nouveau paradigme?

Depuis la dernière guerre mondiale, à la faveur d'une certaine prospérité, la famille a souvent cessé d'être une institution de survie collective qui laissait peu de place à l'individu comme tel; d'où ce déplacement vers la quête personnelle de bonheur et d'épanouissement. Pendant un certain temps, la famille est restée lieu privilégié de cette promesse. Puis, peu à peu, tout a été centré sur le bonheur singulier, privé, de l'individu. Bien peu de diagnostics globaux ont fait état de ce déplacement, peut-être parce que, pendant longtemps, il a constitué une sorte de régime souterrain, informel, donc plus difficilement saisissable. Sous un mode peu visible, la dévaluation progressive des valeurs publiques a fait place à la recherche de gratifications privées. Est-ce la résultante d'un certain succès de l'économie capitaliste du profit, du marché libre, et de son prolongement dans une culture hédoniste de consommation?

Il y a beaucoup plus. Comme s'il y avait eu un changement de paradigme, de logique globale de la vie et des mentalités. Passage d'un régime austère et très régulé de survie à un régime informel de bonheur personnel et de conduite libre, ici et maintenant, sans passé, sans grand souci d'avenir, sans contrainte institutionnelle juridique, morale, religieuse ou autre.

« Il faut bien l'admettre, nous dit un homme de 53 ans, ma génération a connu une enfance, une adolescence et une bonne vingtaine d'années de vie adulte avec ce régime-là, où on pouvait se permettre un paquet de choses *duty free*, hors des règles officielles, sans grosses factures à payer. Cela a été le party pour plusieurs d'entre nous. Et la société marchait quand même. Tu pouvais laisser ton emploi, partir en voyage et te trouver un autre emploi au retour. Le mariage, la famille, c'est du long terme en perspective. On a été vite mal à l'aise là-dedans. On a tâtonné en essayant toutes sortes de solutions nouvelles, avec l'objectif premier de notre épanouissement personnel *right now*. Mais tu ne peux pas penser, agir et vivre uniquement dans ce court terme avec les enfants. Tu es obligé d'investir pour l'avenir. En plus de cela, tu es maintenant dans une société qui fonctionne mal, qui commande plus de solidarité, plus de sens du bien commun pour s'en sortir. Combien d'affaires reviennent de nouveau à la survie! Même la nature est tout à l'envers. Le "moderne" est profondément malade. Puis tu ne veux pas revenir au passé. Alors tu es coincé.»

Ces dernières remarques incitent à penser qu'il y a un nouveau paradigme, une nouvelle logique globale à envisager. Par exemple, une articulation renouvelée des rapports entre le bonheur personnel et le bien commun, entre le privé et le public, entre l'autonomie et la solidarité, entre la liberté et la responsabilité, entre des personnalités plus fortes et des institutions plus solides et efficaces, entre l'audace et la persévérance. Peut-il y avoir des objectifs durables et féconds sans ces articulations?

Combien de débats actuels véhiculent des contradictions étonnantes? Certains tirent à leur convenance des cordes opposées: plus d'intervention étatique et juridique pour protéger la vie privée d'une part, et d'autre part, refus de toute règle publique dans la conduite de la vie personnelle, amoureuse, familiale. «Ça, c'est des décisions qui ne concernent que la personne.» Trois phrases plus loin, dans l'entrevue, la personne remet toutes les responsabilités aux gouvernements, aux institutions et aux intervenants qui doivent répondre aux objectifs privés qu'elle a définis elle-même, pour elle-même, sans aucune autre considération sociale, et surtout pas institutionnelle. Le problème s'aggrave quand, en même temps, on n'accorde aucune légi-timité à d'autres autorités que la sienne propre, à d'autres règles que celles qu'on s'est données.

En fin de compte, n'est-ce pas le « social » au point zéro ? Alors, il n'y a plus vraiment de société, d'ins-titution, de bien commun viables. Ajoutez à cela l'effacement des grandes références symboliques, religieuses ou politiques, et vous vous retrouvez dans le cul-de-sac actuel. Est-ce l'échec de la modernité ? Nous pensons plutôt que c'est sa dégradation, car la modernité, à ses débuts, chez nous comme ailleurs, avait gardé bien en vue l'articulation nouvelle du bonheur individuel et du bien public, de la liberté et du politique dans une dynamique de projets col-lectifs appuyés sur une volonté et une culture démo-cratiques.

La situation actuelle commande de renouer avec cette dynamique de départ de la modernité. Pour le moment, il y a bien peu d'indices d'une pareille res-saisie collective. Nous allons voir comment dans la famille se joue en petit ce que nous venons d'aborder plus globalement. Méthodologiquement, nous allons retracer ces problèmes de fond à travers l'évolution des divers types de famille, depuis cinquante ans.

Famille-couple-parents-enfants[*]

Un *type* est une constellation particulière de traits spécifiques, alors qu'un *modèle* explicite des finalités différentes qui donnent leur vérité à ces traits et qui rendent cohérents les attitudes et les comportements. Nous en resterons aux types tout en cherchant des indicateurs de modélisation là où les types ont connu davantage l'épreuve du temps, ou encore, là où expérience et science permettent d'atteindre ce second niveau. Il s'agit de constructions idéales qui, dans la vie concrète, s'enchevêtrent plus ou moins, s'emboutissent parfois, se heurtent, se combinent. On peut passer de l'une à l'autre.

Notons, au point de départ, que la génération des baby-boomers s'est voulue en rupture avec l'éducation reçue de leurs parents. De là à en conclure qu'ils n'en ont rien retenu, qu'ils n'ont rien reproduit de leur héritage, c'est une tout autre affaire. Notons aussi que leurs parents eux-mêmes se sont démarqués de la famille traditionnelle d'avant-guerre, et ont contribué au façonnement de la famille moderne.

---

[*] Je m'inspire ici de l'ouvrage de Louis Roussel, *La famille incertaine*, Éditions Odile Jacob, 1989.

La famille traditionnelle

La famille traditionnelle est soumise à des défis de survie; elle est orientée vers sa reproduction et centrée sur la transmission, de génération en génération, d'un patrimoine biologique, matériel et symbolique. Cette famille est avant tout et surtout une institution dont les normes, les lois, les coutumes, les représentations collectives sont celles de toute la société et de la culture commune. Toutes les conduites doivent s'y régler, et cela jusque dans la conscience et la subjectivité. Les rôles sont définis comme allant naturellement de soi, comme des réponses viables, nécessaires et indiscutables à de multiples contraintes, y compris des impératifs religieux qui les sacralisent : « Tu honoreras ton père et ta mère », « On accepte les enfants que le ciel nous envoie »...

Claude Lévi-Strauss a montré le fort caractère structurant des systèmes de parenté arrimés à des ordres symboliques correspondants pour fonder l'institution familiale et la société traditionnelle. Cette rigoureuse structuration devait compenser la singulière précarité biologique de la condition humaine individuelle et collective. On sait la longue nidification et la dépendance de l'enfant humain à ses parents en comparaison à celle des petits animaux munis d'instincts plus précis. Le système de parenté permettrait aussi de dépasser la violence originelle qui accompagnait l'accès de tous les hommes et de toutes les femmes et sa compétition féroce. L'institution venait tracer des balises, des interdits qui contraient cette violence, et permettait de transformer des ennemis en alliés. « L'institutionnalité est donc superficielle, mais non arbitraire puisqu'elle permet la survie du groupe en exorcisant la violence des individus. » Ce qui fait dire à A. Gehlen que cette démarche surmonte précarité et violence par les représentations et régulations collectives que sont les institutions. R. Girard a bien montré le rapport entre la violence et l'indifférenciation des êtres, alors que l'institution sépare ce qui était mêlé, et provoquait le chaos et la violence.

Nous ne résistons pas à relier ces dernières remarques aux drames contemporains peu reconnus que sont les négations des différences de sexes, de rôles, de générations, et aussi les discrédits de l'idée même d'institution. Bien peu d'analystes ont su y voir une des principales sources de bien des violences actuelles, y compris dans les familles. Comment dénoncer l'inceste et méconnaître en même temps l'enjeu de la prohibition de l'inceste, celle-ci permettant de tisser ensemble les lignages en une société plus large ? De plus, ces indifférenciations multiplient les crises d'identité, de rôles, de rapports aux autres, de conflits générationnels. Nous reviendrons sur ces questions fondamentales.

Cela dit, la famille traditionnelle consacrée à la survie et à la reproduction n'est guère ouverte au changement. Chacun y est figé dans son statut prescriptif. Le bonheur et l'autonomie personnels passent souvent en second. Certes, cela convenait à un régime de pénurie, d'austérité, de survie collective, conforté par le quadrillage serré du temps et de l'espace, du travail et des fêtes, des lois et des consciences. Les besoins de sécurité l'emportaient sur les aspirations à la liberté.

Parents plus que couple, livraient à l'enfant-héritier un message du genre : « Tu es notre fils, notre fille. Tu appartiens à une lignée dont tu dois te montrer digne. Voici ton nom qui désigne ta place dans la famille, dans la société. Voici tes devoirs et tes droits. À toi de répéter un jour notre histoire, comme nous avons répété nous-mêmes celle de nos parents. »

La famille moderne

Nous disions plus haut que les parents des baby-boomers, dans le contexte de la nouvelle prospérité qu'ont amenée la guerre 1939-1945 et l'après-guerre, devenaient les premiers jalons du développement de la famille moderne. Ces parents cherchèrent un équilibre entre la famille-institution et le bonheur personnel pour chacun, entre la loi reçue et l'épanouissement affectif, subjectif. Moins pour eux-mêmes que pour leurs enfants. « On va leur donner ce qu'on n'a pas eu. » C'est à travers leurs enfants que les nouvelles classes moyennes vont vivre leur élan de promotion sociale et économique, et aussi leurs aspirations à une modernité vécue souvent d'une façon ambivalente à cause de leur enracinement dans un régime traditionnel qui les avait profondément marqués. Mais un déplacement important allait se produire. La question n'est plus « Comment survivre ensemble ? », mais « Comment être heureux ensemble ? »

Dégageons ici les principaux traits de ce type de famille.

- La recherche du bonheur passe de plus en plus par l'affectivité, le sentiment amoureux.

- Le rapport à la famille comme institution se veut plus rationnel et moins tributaire d'une tradition répétitive et de règles sacrées intouchables, indiscutables.

- Non plus la survie, mais l'avenir est à faire à travers les enfants ; un avenir seul chargé de sens.

- L'émergence d'une individualité irréductible à l'unique logique familiale.

- Chacun, chacune, se veut acteur de sa propre vie, de sa propre histoire.

Toutes ces aspirations sont perçues comme en harmonie avec la nouvelle société en prise sur un progrès illimité : économique, social, politique ; sur un horizon de paradis terrestre habité par un imaginaire d'innocence, de bonheur sans peine, incarné par l'enfance porteuse de toutes les promesses. L'enfant deviendra ce que les parents eux-mêmes auraient voulu être. Leur rêve quoi ! Et même leur identité.

Mais attention ! Il s'agit ici de nouvelles aspirations. Il fallait encore y travailler résolument pour les réaliser. La promotion sociale et économique n'allait pas de soi. On devait gagner chèrement les signes et attributs d'un nouveau standing visé. L'enfant n'est plus un héritier, mais plutôt un délégué, investi par ce message. « Tu es notre raison de vivre. Voici les sacrifices que nous faisons pour toi. Agis de telle sorte que ceux-ci ne soient pas vains. Tu vas entrer dans un monde qui est meilleur que le nôtre. Tu y occuperas une place plus élevée. À toi de te forger un nom. Que nos rêves, en toi, se transforment en réalité. »

Si l'enfant déçoit par la suite, parce qu'il ne s'ajuste pas aux stratégies de promotion sociale de ses parents, ceux-ci le jugeront indigne, coupable, et source de frustration. Pour gagner son autonomie, le jeune en pareille famille sera amené à une douloureuse rupture.

Nous comprenons mieux maintenant ce que nous ont révélé plusieurs baby-boomers de leur enfance, de leur adolescence. Dans un premier temps, nous nous demandions pourquoi des enfants si choyés se plaignaient tant de leurs parents, pourquoi, même à 40-50 ans, ils voulaient encore régler leurs comptes avec leur famille d'origine. Encore ici, on trouve un autre indice du caractère injuste de certains procès globaux qu'on intente aux baby-boomers.

La famille fusionnelle

Un autre type de famille va se développer, à la fois dans le prolongement du précédent et en réaction contre lui. Désir, bonheur individuel, autonomie personnelle, amour-passion, droit de changer le cours de sa vie, de tout recommencer, autant d'aspirations qui vont prendre le pas sur les normes de la famille moderne toute centrée sur sa promotion sociale, son standing de vie et son «paraître» aux yeux des autres. Pensons ici à la culture de banlieue, où plusieurs baby-boomers ont grandi. Il y avait de fortes tensions et contradictions dans la famille promotionnelle, entre ses rêves paradisiaques et ses sacrifices pour y arriver. Un désenchantement s'ensuivit. Pour le contrer, on va miser sur la force affective, sur l'amour-passion, sur «l'élan spontané, multiforme, inventif du sentiment amoureux.» Fi de toute contrainte institutionnelle. Recommencements, divorces, union libre vont y trouver leur principale assise de légitimation. Amour, mariage, famille seront fusionnés, passionnels, ou ne seront pas. On reste ensemble aussi longtemps que ce feu crépite, quitte à s'ingénier à inventer matériaux et formes pour l'alimenter. Tout sera accroché à la passion amoureuse : lieu de découverte de son identité la plus profonde, transfiguration de soi et de toute sa vie, paradis retrouvé, seule vraie plénitude totale, fête éternelle dans l'infini de l'étreinte fusionnelle, fulguration d'un présent porteur de tous les possibles (M. Foucault).

Comme si seule l'affectivité donnait tout. On accepte des règles pour la vie publique. Mais la vie privée idéalement devrait ne connaître ni contrainte ni loi. Ce qui fait tenir à Milan Kundera ces propos aussi ironiques que cruels : «L'absence totale de fardeau fait que l'être humain devient plus léger que l'air, qu'il n'est qu'à moitié réel et que ses mouvements sont aussi libres qu'insignifiants.» Désormais, on dispose non plus d'une vie, mais d'une série d'histoires successives, d'aventures passionnelles, d'échanges mesurés au degré de la satisfaction immédiate qu'ils apportent. S'il y a échec incontournable, il restera la promesse de réincarnation qui permettra de recommencer.

Tout cela se vit dans le concret sous un mode fusionnel. Mode qu'on peut comprendre par son contraire.

L'amour véritable implique précisément la renonciation à un certain nombre d'illusions. Renoncement à l'illusion d'immédiateté : reconnaissance du fait qu'il faudra du temps pour mieux connaître l'autre. Renoncement à la capture de l'autre : reconnaissance de l'irréductibilité du conjoint à un territoire une fois pour toutes exploré. Renoncement à l'image transfigurée de soi-même que l'autre lui présente sans cesse : reconnaissance que ce jeu des miroirs magiques témoigne seulement d'une complaisance narcissique. Renoncement à l'enfermement du couple : reconnaissance de la nécessaire ouverture au monde. Renoncement en un mot au fantasme de la toute-puissance du désir et reconnaissance de l'inaliénable altérité du conjoint. Sortie de l'enfance, donc, et entrée dans la maturité.

Inversement, la démarche fusionnelle fixe l'adulte à l'enfance. Comment peut-il alors assumer ou même envisager une parentalité ? Et s'il le fait, il maintiendra son enfant dans la même fixation. Le risque de captivité réciproque qui menace les conjoints fusionnels s'étend aux enfants. Aimés, trop aimés ou mal aimés, ceux-ci doivent devenir les êtres imaginaires dont les parents ont rêvé. Les comportements de l'enfant doivent être spontanés, sans règles contraignantes, pour être authentiques, créateurs, uniques comme lui. Le message de base est celui-ci : « Tu es l'expression de notre amour. Comme celui-ci, tu es grâce, spontanéité, intensité. Nous te donnerons un amour constant et inconditionnel. Tu n'auras d'autre loi que celle d'une réciprocité affective totale. Désormais, notre bonheur est lié à la tendresse que tu nous portes. »

Dans ce type de famille, on trouve une sorte de chantage permanent au sentiment « Fais cela pour ta maman », « Si j'ai des mauvaises notes, c'est que le professeur ne m'aime pas », « Si tu n'acceptes pas ça, c'est que tu ne nous aimes pas, nous, tes parents ».

En fin de compte, cet enfant, captif d'un rapport symbiotique, sera coincé dans une double contrainte : une dépendance affective inconditionnelle et une sorte de poussée de révolte pour exister dans sa propre identité. De même, le divorce de ses parents fusionnels sera particulièrement dramatique pour lui. Il sera trop souvent le terrain et même l'instrument des mutuelles agressions des ex-conjoints. Et chacun de ceux-ci cherchera à se l'approprier exclusivement. « Tu es tout pour moi, tu sais. »

La famille club

Le type fusionnel, on le comprendra facilement, se heurte à la valeur-socle qu'est l'autonomie individuelle, qui est au cœur d'une tendance majeure évoquée au début de ce chapitre, à savoir la dévaluation des valeurs publiques au profit de la valorisation de la subjectivité, de la vie privée, des gratifications individuelles. Tendance confortée par une société organisée en fonction de l'individu et par un libéralisme économique dominant.

Amour fusionnel et sujet autonome sont peu compatibles. Pendant un certain temps, on a tenté de les conjuguer, un peu comme la famille moderne des années 1950 avait tenté de conjuguer institution et bonheur. Les nombreux échecs et ruptures des couples-familles fusionnels, les inévitables transactions qui les accompagnaient et les recompositions de nouvelles familles vont faire émerger un nouveau type : le couple associatif, l'enfant partenaire et la famille club. Ce type n'a cessé de se répandre. Certains analystes croient même qu'il sera de plus en plus dominant.

On se méfie de plus en plus de la fusion amoureuse, de ses tyrannies, sinon de ses liens trop attachants. Outre l'importance de sa propre indépendance, on se protège « pour ne plus vivre les blessures de ces passions aveugles », comme nous l'ont dit plusieurs interviewés. « On se méfie même en amour », « Je raisonne davantage mon affaire, je mesure les avantages et les inconvénients, je ne veux plus me faire avoir », précisait-on.

On pourrait facilement moraliser en y voyant une obsession mesquine de comptabilité. Et s'il y avait là surtout une ressaisie du principe de réalité pour l'arrimer au principe de plaisir? De plus, le souci de son autonomie personnelle peut bien s'accompagner du souci de l'autonomie de l'autre. Ajoutons l'influence d'une société contractuelle de conventions collectives à terme et résiliables, et d'une pratique associative en une foule de domaines.

Voici deux sous-types que nous avons rencontrés lors de nos entrevues. D'abord le type aventureux qui essaie de faire de la famille club une permanente invention en quête de nouvelles expériences, de nouvelles relations sociales qui contribuent au renouvellement de l'intérêt d'être ensemble «pour vivre et faire un tas de choses passionnantes». On maximalise le rapport bénéfice-coût au profit du premier terme. Le second type pourrait se qualifier comme précautionneux. Point de changements aventureux. On minimise les risques, et surtout les coûts. On réduit l'aire des échanges. Dans plusieurs cas, on maintient la relation parce qu'on ne peut faire autrement pour une raison ou l'autre: financière, patrimoniale, sociale, etc. Cela se produit davantage chez des interviewés ayant entre 45 et 55 ans.

En-deçà de ces deux sous-types, il y a cette conscience vive de la précarité des liens conjugaux et familiaux. Chaque conjoint considère comme prioritaires ses propres objectifs. Ce concordat entre les aspirations de chaque partenaire a peu de finalités communes clairement définies. Plutôt une pratique d'équité dont les questions d'argent et de temps sont les principaux étalons mesurables.

Inutile de dire que la famille club est encline à limiter au minimum le nombre d'enfants. Et ce type, en continuant de s'imposer, permet un certain scepticisme face à une reprise sérieuse de la natalité. La famille club, on la retrouve dans tous les groupes d'âge, y compris chez les jeunes adultes. Certes, l'enfant y est désiré et apprécié. On se souciera de son bonheur, de ses succès. Mais il ne sera pas le pôle de l'existence des parents. Ceux-ci chercheront à en faire un partenaire à parts égales. Il ne sera qu'un membre parmi d'autres. Le club a des règlements fixés par les parents. En principe, il a les mêmes droits que les adultes. Ce type familial coïncide avec la création d'un droit des enfants.

Voici le message de base des parents : « Enfant, nous t'avons désiré. Nous savions que notre association, sans toi, serait incomplète. Le bonheur que tu nous donnes, nous essayons de te le rendre, et largement. Tu seras notre compagnon de route durant ton enfance et ton adolescence. Nous t'aimons et respecterons tes droits, à charge pour toi de respecter les nôtres. Nous acceptons d'avance que l'essentiel pour toi soit de devenir autonome. Comprends de ton côté que nous tenions, dans notre tendresse, à maintenir, nous aussi, une certaine indépendance à ton endroit. »

S'il y a divorce des parents, l'enfant sera moins coincé que dans le cas des familles fusionnelles. Les responsabilités auront été négociées d'une façon plus sereine. Mais parfois, l'enfant ou l'adolescent sentira un moindre intérêt de la part d'un de ses parents ou même des deux. En certains cas, il sera livré à lui-même, à une maturité précoce rarement positive.

La famille cocon

Ce type a émergé très récemment dans le contexte des multiples crises des dernières années. Il s'agit de la tendance à se replier sur la famille, à s'encoconner en elle, à en faire une sorte de bastion protecteur de ces nombreuses menaces du monde extérieur. Nous avons été étonnés de la fréquence de ces remarques dans le contexte de telles familles : « Nous, on fait tout en famille » ou « La famille, il n'y a que ça de valable, aujourd'hui ».

L'affaissement des larges solidarités, la crise des grandes institutions, les énormes problèmes sociaux jusqu'au cœur des quartiers jadis pacifiques, la possibilité de « presque tout faire à la maison », tous ces facteurs ont pu jouer dans cette tendance au cocooning familial. Le « je ne veux plus rien savoir » emprunte ce mouvement de repli sur la famille chez plusieurs citoyens. Désespérant de l'ordre établi, on s'en donne un à la maison sécurisante, plus ou moins autoritaire, de forte teneur affective, avec un souci d'y intégrer toutes les dimensions de la vie. Il ne s'agit plus de s'intégrer au milieu, mais plutôt de s'en protéger, de s'en écarter. On entendra, dans ce contexte, des remarques comme : « On ne sait plus à qui on a affaire » ou « Tu as toutes sortes de craintes pour tes enfants ».

Plusieurs baby-boomers vieillissants se replient à la maison. Nous parlons ici d'hommes surtout, alors que les femmes ont davantage tendance à en sortir. Certaines d'entre elles se plaignent de leur « homme casanier qui passe des heures et des heures à regarder le hockey, le football, le baseball, sans jamais lire autre chose que le journal ». Les hommes implosent, les femmes explosent ! Le havre familial idéalisé devient un lieu de tensions entre conjoints, entre parents et enfants. Ceux-ci acceptent souvent mal ce repli. « On a beau tout leur donner pour les garder avec nous, ils considèrent la famille comme une maison de pension. »

Mais d'autres réussissent à se donner une quasi-mystique familiale aux allures modernes les plus permissives. Les adolescents y couchent avec leur chum ou blonde. On est prêt à tout pour que tout se fasse en famille. Ce nouveau type cocon s'amalgame parfois au type fusionnel. Le moins de règles possible. « J'aime mieux ça : pour qu'ils n'aillent pas courailler ailleurs dans des gangs de drogue, de violence. Je n'ai pas le goût de me retrouver à la cour parce que mon gars a fait un coup pendable. Ce serait la honte de ma vie. » Mais ces parents se préparent des drames pénibles si on en juge par certains récits de vie familiale récents. Cette nouvelle promiscuité devient vite étouffante parce qu'elle s'est constituée en un tout indifférencié. Il y manque de l'espace, de la distance pour construire son identité, pour distinguer les rôles des uns et des autres. En certains cas, le contexte se prête à l'inceste, avec d'étonnantes complicités tacites du conjoint tiers, la femme en l'occurrence.

Dans ce type de famille, les parents se croient facilement porteurs du seul, vrai et bon modèle de foyer protecteur des aléas de la vie et du quasi-enfer extérieur. Mais quand de graves problèmes intérieurs apparaissent, ils sont démunis, sans recours. Ce sont les enfants qui font craquer violemment cette carapace de ladite famille heureuse sans histoire. Alors que la famille ouverte permet beaucoup mieux à chacun d'enclencher sa propre histoire.

On se souviendra que le cocon dans la nature doit éclater pour qu'il y ait mise au monde. Famille close, famille fusionnelle ne peuvent que fixer leurs membres à l'enfance, sinon à un imaginaire infantile qui ne sait pas assumer l'épreuve du temps nécessaire à la construction de l'identité, de la liberté, de la responsabilité et de la maturité. Jocelyn, 20 ans, nous parle de sa famille :

« Dans ma famille "idéale", le moindre problème apparaissait comme une montagne. Mes parents avaient peur que le ciel nous tombe sur la tête dès que nous sortions de la maison. Ça faisait de nous des inadaptés. J'ai joué leur jeu longtemps. J'étais pour eux le petit garçon idéal, sans problème. Puis ça a éclaté tout d'un coup. Drogue, vols, prison. J'étais terriblement violent sans trop savoir pourquoi. Ma sœur, elle était plutôt du genre suicidaire. »

La famille PME

Eh oui, la famille entreprise. On pense tout de suite aux entreprises familiales : firmes, commerces où tous les membres du foyer y travaillent dans une proximité quotidienne qui, trop souvent, laisse peu de place aux rapports gratuits, peu d'espace de distanciation les uns sur les autres. Gisèle, une femme de 45 ans, nous raconte :

« Depuis 23 ans, mon mari et moi, nous avons travaillé "à la planche" dans notre commerce. Un succès total. De l'argent en masse. Nos deux grands enfants y ont contribué. Apparemment, c'est le bonheur parfait. Puis tout à coup, à 45 ans, tu sens un vide immense dans ta vie à toi, dans ta vie de couple. Ton gars puis ta fille claquent la porte parce qu'ils étouffent. Au début, on ne comprenait pas. Ils ont tout. Ils vont avoir un énorme héritage. Et nous, une retraite en or. Puis tu te réveilles quand tu prends conscience que le commerce t'a tout pris, vidée complètement. On était toujours ensemble, mais à vrai dire, peu de vie de couple ni de vraie vie familiale. Comme si on n'avait rien à se dire... »

Mais il y a d'autres expériences qui tiennent du type PME dans des domaines où l'on s'attendrait à un tout autre style de famille.

Lui et elle ont consacré le meilleur de leurs énergies à leur carrière respective, au prix de longues périodes d'éloignement l'un de l'autre avec de difficiles aménagements pour la prise en charge successive des enfants. Elle, très efficace, très rationnelle menait le jeu avec une rare détermination. Tout était calculé, planifié, organisé au détail. Lui, il aurait souhaité « un peu de folie amoureuse » dans tout ça et aussi « plus de temps commun avec les enfants ». Au bout de dix ans, il ne peut plus supporter la situation. Il divorce et trouve bientôt une autre compagne qu'il qualifie en ces termes : spontanée, généreuse, simple, facile à vivre, plus humaine quoi! Il se remémore le moment du divorce en soulignant le fait que sa femme n'a pas versé une larme. Par la suite, toutes les négociations ont été vécues «avec une froideur calculatrice incroyable», «comme en affaires». Il se demande quelles en seront les séquelles chez les enfants qui entrent dans leur adolescence. Elle, de son côté, lui reproche, non sans raison, de garder les vieux schèmes de l'homme traditionnel qui veut la femme à la maison, à tout le moins une femme qui ne donne pas priorité à sa carrière et qui suit son mari là où il est appelé à travailler.

On peut se demander si l'un et l'autre n'ont pas, chacun à leur façon propre, réduit la famille à une organisation moderne quasi technocratique qui prend le pas sur tout le reste. Leur monde professionnel, rationnel a imposé sa logique. Temps et argent sont les deux étalons de toutes leurs négociations passées et présentes. Et les enfants doivent s'y adapter. Qu'on nous comprenne bien, il ne s'agit pas ici de discréditer l'entreprise familiale, la carrière professionnelle. Des couples, des familles parviennent à d'heureux aménagements. Tâtonnements, tensions, essais, échecs, reprises font partie des défis actuels en la matière. Mais on ne peut sous-estimer les énormes enjeux en cause. «J'ai réussi ma carrière, mais j'ai manqué ma vie.» Cette expression populaire, plusieurs fois entendue, en dit déjà long. Le type familial PME n'est pas une pure construction de l'esprit.

En deçà et au-delà de ces types

Redisons-le : on ne trouve pas ces types à l'état pur dans le réel. On peut passer de l'un à l'autre. Il arrive aussi qu'on garde le même pattern toute sa vie même en changeant plusieurs fois de partenaire. Y compris dans des familles reconstituées.

Les conditions socio-économiques retentissent aussi sur la famille. Par exemple, l'accès à l'aisance ouvre davantage au monde extérieur comme « espace où déployer ses potentialités ». Inversement, l'absence de statut social gratifiant peut contribuer à durcir les statuts internes à la famille. Mais le réel, ici comme ailleurs, résiste à toute logique univoque. Nous avons constaté chez plusieurs jeunes adultes masculins qu'ils ont peine à devenir pères aussi longtemps qu'ils n'ont pas de statut social. Chez des jeunes femmes, le problème est inverse.

« J'ai commencé à vraiment exister pour mon entourage que lorsque je suis devenue mère. Je devenais tout à coup intéressante aux yeux de mes parents, de mes grands-parents et de beaucoup d'autres. C'est comme si ton rôle de mère te donnait ton statut social. Alors, tu en fais le tout de ta vie. Tu t'accroches à ton enfant. Ton chum passe bien après. Puis, il fout le camp. Après la séparation, tu continues à l'éloigner davantage de l'enfant. Quand lui devient adolescent, tu réalises que ton garçon a manqué de père, que bien des problèmes viennent de là, par exemple, son identité sexuelle. Le thérapeute t'apprend ça. Tu te demandes alors avec vertige : est-il trop tard pour corriger ça ? Et pourtant, tu n'as toi-même que 36 ans. Pire que ça encore, tu te rends compte que dans la grande société, être mère, ça ne te donne pas un statut social, une reconnaissance des autres. Tu te lances comme une folle pour te recycler, pour bâtir ton indépendance personnelle, financière. Tu vis un conflit entre la mère et la femme qui est en toi. Tu le vis affreusement seule, même quand tu as trouvé un nouveau partenaire ! »

Nous venons d'évoquer certains problèmes psychosociaux. Notons ici l'absence de références religieuses, comme phénomène qui contraste avec l'importance qu'elles avaient dans la famille traditionnelle. À entendre bien des récits sur la famille, nous nous demandons si notre modernisation s'est vraiment donné de nouveaux repères quelque peu clairs et nets, particulièrement au chapitre de la parentalité, de l'autorité, du jugement moral, de la redéfinition des rôles, de l'apprentissage à la responsabilité, de la formation de la conscience, des rapports entre normes et liberté, des initiations aux passages de la vie. Autant de champs d'éducation où la famille est profondément concernée et où les débats sociaux se révèlent souvent erratiques, sinon fort emmêlés.

Lesdites cohérences culturelles, morales et religieuses d'hier ont disparu. Ont-elles été remplacées? En a-t-on inventé de nouvelles? S'est-on donné une morale laïque après l'éclatement de la morale religieuse? Qu'en est-il des couches profondes de la culture, de la conscience, de l'âme qu'assumait tant bien que mal l'expérience religieuse? Connaissances, techniques et mécanismes psychologiques suffisent-ils pour éclairer et assumer ces profondeurs humaines et spirituelles où se logent des ressorts importants de la conscience, de la dynamique symbolique, de la capacité de rebondissement et de dépassement?

Y aurait-il en dessous de ces problèmes psychologiques et sociaux un certain appauvrissement spirituel? Des jeunes de notre enquête l'ont évoqué timidement: «Y a-t-il encore dans cette société quelque chose qui mérite un respect sacré, une loyauté profonde, un engagement durable?» Appel à une transcendance que semblent ignorer un certain professionnalisme rationaliste positiviste fort répandu, et un type de sécularisation encore plus répandu qui a aplati, banalisé, désacralisé à peu près tout. Comment s'étonner alors de l'explosion actuelle d'un religieux sauvage, hors du pays réel et de ses pratiques imperméables au spirituel?

Soucieux d'intégrer l'intelligence spirituelle dans notre analyse culturelle et sociale, nous tenons à rester très près de celle-ci au chapitre des enjeux critiques refoulés et de leurs dépassements.

15. Un fol espoir

Au début de mon propos sur la famille, je soulignais que les acteurs et les analystes culturels, sociaux, économiques ou politiques ne priorisent pas assez la base humaine qu'est la famille et surtout, les enfants. Là aussi, je me dois de rappeler cette réalité refoulée, à savoir, le fait répandu d'être généreux pour nos propres enfants, mais trop peu pour les enfants des autres. Au point où je me demande encore si les deux principales classes sociales ne seront pas les héritiers et les non-héritiers ou encore les protégés à vie et les précaires de bout en bout de la vie.

Mais je me dois d'y ajouter une note plus positive. La longévité accrue et ses plus longs cycles de la vie peuvent développer des richesses de tous ordres pour les quatre générations contemporaines. Déjà, il y a beaucoup de pratiques et de chantiers intergénérationnels. La référence générationnelle permet plus de durabilité et de profondeur aux liens sociaux, aux solidarités et aux projets.

Les principaux enjeux familiaux que je viens d'évoquer ont eux aussi une profondeur morale et spirituelle. Le moins que l'on puisse dire, c'est que la famille véhicule souvent les plus fortes expériences de la vie. Elle touche notre intimité la plus profonde, notre personnalité la plus profonde. Elle conjugue le charnel, le matériel et le spirituel.

Qui peut dire que la maternité et la paternité n'aura été qu'une fonction transitoire ? Rappelons-nous : on peut dire « mon ex-conjoint », mais pas « mon ex-enfant ».

La famille standard ou recomposée permet davantage à chacun des membres d'engager sa propre histoire. C'est un des bienfaits de la femme moderne qui ne se veut pas être seulement l'épouse de Jean, la fille de Pierre, la mère de Lucie. Elle a sa vie propre de femme, son histoire personnelle.

Le père romain de l'Antiquité avait un choix de vie ou de mort sur l'enfant naissant. Beaucoup de femmes sont passées au christianisme pour contrer cette barbarie. Il en est de même du choix libre des futurs mariés pour contrer les mariages imposés par les parents. Le christianisme s'est battu durant plusieurs siècles pour défendre la liberté des futurs époux.

Dans un monde divisé, déchiré politiquement, économiquement, religieusement et de tant d'autres façons, il y a aussi des milliards de parents qui cherchent à se dépasser pour leurs enfants. Face à cela, je me dis que c'est peut-être la seule base humaine qu'il nous reste. Bien sûr, il y a dorénavant matière à d'autres profondes inquiétudes, par exemple des millions d'enfants esclaves du travail ou soldats comme chair à canon. C'est là une logique de mort qui fauche la vie à sa première et plus belle racine.

Tout au long de ce livre, j'ai sans cesse mis de l'avant la tâche fondamentale d'humaniser, de réhumaniser et de lutter contre les déshumanisations. Il a fallu des millions d'années pour passer du singe à l'homme. On peut faire le contraire en un rien de temps. Il y a quelque chose de ce même drame dans la destruction massive des assises de la vie et qui peut amener la disparition de l'espèce humaine.

Je demande souvent à des gens si le sort de leurs petits-enfants et des générations futures les inquiète vraiment. Je m'attends à ce qu'ils me parlent de responsabilité. Mais non, c'est plutôt le confort de se dire eux-mêmes chanceux. Avec la seule même vision de l'avenir que celle de la répétition du présent.

Je suis parvenu à la toute dernière étape de ma vie. Ce qui me scandalise le plus du monde d'ici au Québec, c'est sa superficialité et son vide spirituel. Par exemple, dans le rapport fondamental mort-vie, à quoi au juste le protocole d'une mort digne peut-il se mesurer avec des styles de vie qui souvent ont bien peu de profondeur de sens?

Dans une perspective plus large et qui concerne notre propre société, je pense qu'au XXIᵉ siècle, le

« survivre » sera le lot de la plupart des terriens. Mais se pourrait-il que ce défi de survivre soit un déclencheur des valeurs profondes de foi et d'espérance ? Et pourquoi pas, d'un humanisme spirituel commun porteur de la conscience d'être pour la première fois de l'histoire humaine une *même famille* avec la même communauté de destin, et aussi avec les richesses de la pluralité et de la diversité des façons de vivre, de penser, d'agir, de croire et d'espérer ?

Bien sûr, à ce niveau de profondeur, on sent qu'on ne peut changer les choses, si ce n'est que pas à pas. C'est dans cette finitude que la transcendance humaine peut faire sens, même là où il n'y en a pas. Et ce sont toujours nos humbles cheminements et le *désenfouissement* patient des veines cachées tenues en réserve pour nos nouvelles soifs que nous trouvons du sens. Que dire de nos luttes pour la vie, la justice, nos quêtes de sens et d'une liberté féconde qui sont toujours le fruit de longues conquêtes ? N'est-ce pas cela qui fait de nous des « espérants » têtus ?

Mais je n'en reste pas moins habité par un profond sentiment d'empathie pour tant de gens d'aujourd'hui qui vivent des déchirements souvent reliés aux multiples éclatements de la société. Ce qui exige des nouvelles et plus profondes solidarités avec des luttes nécessaires.

Dans cet ouvrage, j'ai voulu laisser quelques traces de mes convictions sur le dernier chemin qui me mène à Pallia-vie, et bientôt à l'*Autre* au-delà de mes derniers doutes. La merveilleuse humanité en Jésus de Nazareth humain, comme moi, m'attache à Lui profondément. Mais aussi (au fond, fond, fond) à mes frères humains.

Je ne veux pas dépouiller le monde de son mystère. Paradoxalement, c'est ce qui m'a incité à chercher le pensable et le croyable de la foi en l'humanité et la foi en Dieu. Ce fut une aventure passionnante qui a dynamisé ma vie, mes engagements et une espérance toujours entreprenante avec mes compagnons de route laïques ou religieux. Avec l'étonnante convergence d'un même fond spirituel de justice et d'amour, souvent entre colère et tendresse, au sein de nos travaux et de nos luttes.

16. Le vide spirituel

À première vue, la référence au vide spirituel est trop vague pour en faire une clé de compréhension du spirituel. D'aucuns disent que ce lieu commun témoigne de la pauvreté de la pensée et de l'intelligence de cette dimension importante de la condition humaine. Pauvreté culturelle qui n'a même pas les mots pour le dire. Remplacement du « religieux » qui a perdu sa crédibilité chez beaucoup de nos contemporains ?

C'est ce qui m'a amené à faire enquête sur cette référence courante qui me semble révélatrice de plusieurs sens critiques ou même positifs tout autant au plan collectif qu'individuel. Eh oui, un lieu révélateur de quête de sens qui font bien vivre, penser, agir, et surtout motiver et espérer.

En témoigne un de mes interlocuteurs : « Je vivais un profond sentiment de vide. C'est ma prise de conscience de mon absence de vie intérieure qui a été la première source et ressource de sens pour me redonner un élan non seulement à ma vie personnelle, mais aussi à mes rapports aux autres. C'est un peu comme si je me reconstruisais du dedans. Tout le contraire d'un spirituel hors du terrain réel ou fictif dans sa bulle. »

Un autre de mes répondants a suivi le chemin inverse, à savoir le vide spirituel extérieur à lui-même dans un milieu de vie, de travail, et même de famille, et dans les styles de vie, et dans la société, y compris une grande part des médias. Voyons cela de plus près avec lui.

« J'ai 56 ans, j'ai vécu toutes les expériences de base de la vie. Dans la société et tout au long de mon périple, on était de plus en plus matérialistes, consommateurs, avec un paquet de téléromans à la semaine longue, comme un substitut à notre propre vie réelle, à notre capacité de lui donner un sens. Je soupçonne qu'il y a un tas de gens qui disent que notre société sens dessus dessous est malade, vide spirituellement. »

Un autre faisait un lien entre l'évacuation de l'expérience religieuse d'hier, d'une part, et d'autre part, une déculturation qui n'a même plus de mot pour se dire, et aborder les questions fondamentales de la conscience humaine. Leurs rapports à la mort sont aussi très révélateurs du vide spirituel actuel chez bien des gens. « Il faut dire qu'à peu près tout nous invite à nous projeter à l'extérieur de nous-mêmes. Le iPad dans les mains prolonge cette absence de soi-même et de relation à l'autre à côté de soi. »

J'ai tiré ces derniers propos d'une entrevue de groupe. D'autres membres s'y situaient très différemment.

Certains jugeaient trop pessimistes les critiques pré-
cédentes. « Le fait que la référence au vide spirituel
soit aujourd'hui souvent évoquée, et cela dans bien
des domaines, et chez toutes sortes de gens, est un
signe plus positif qu'on ne le dit. Face à la superficialité tout terrain, on cherche plus de profondeur. Par
exemple, quand il n'y a plus de sacré, on se permet
n'importe quoi. La morale en prend un coup. On l'a
vu à la commission Charbonneau. Moi, je suis porté
à penser qu'il y a dans la population présentement
une nouvelle conscience. »

Un autre nous dit : « Moi, je n'y vois pas là forcément du spirituel, surtout quand je vois dans les
librairies une tonne de livres spirituels sirupeux, fleur
bleue, complètement hors du réel. Cela me rend
méfiant. »

« Tu as raison, mais pas tant que ça, parce le nouveau spirituel dont nous parlons, c'est justement
le contraire, c'est redonner au réel plus de sens et
d'âme, plus de socle intérieur, à tout le moins,
une certaine capacité d'aller chercher au fond de
soi des ressources qu'on ne soupçonnait pas,
comme le dit si bien Jacques. »

Le plus silencieux du groupe, qui fait partie du
« grand monde », de ce qu'il appelle les élites,
entraîne le groupe sur un autre terrain. « Je pense à
ceux dont leur idéologie politique a été vécue un

peu beaucoup comme une religion. Une sorte d'intégrisme laïque qui s'ignore. Il y a là un vide spirituel blindé. Bien sûr, ce n'est pas le cas de la plupart des esprits laïques. J'entends dire de certains d'entre eux qu'il n'y a pas encore de spiritualité au milieu d'eux. Moi, je suis réticent à ce genre de propos. Chez beaucoup de gens, le spirituel est une affaire privée. »

Un autre intervenant dit alors : « Mais non, il y a des drames spirituels sous des enjeux cruciaux d'injustice, d'inégalité, d'exclusion. C'est dans les courants collectifs, sociétaires, politiques, économiques, que doit se loger le spirituel d'aujourd'hui, en-deçà et au-delà des frontières identitaires. Et c'est là où les critiques du vide spirituel sont les plus pertinentes et "interpellantes". J'avoue que cette conscience n'est qu'amorcée. Mais il y a quand même un intérêt nouveau pour la dynamique de la conjonction de l'intériorité et de l'engagement. Deux piliers nécessaires pour de nouvelles solidarités. »

Un vieux militant syndicaliste ajoute : « On ne peut pas se laisser aller sous prétexte de notre dite impuissance individuelle. On a de nouveaux choix à faire, des chantiers à entreprendre, des volontés politiques communes à façonner. Ce n'est pas vrai que les choses vont se replacer toutes seules, sans d'énormes efforts pour nous ressaisir nous-mêmes individuellement et collectivement. »

Aujourd'hui, les problèmes sont devenus gigantesques : il faut une foi forte et profonde pour y faire face. Une des choses qui m'attriste beaucoup, c'est lorsque j'entends des gens qui se disent déjà tannés de l'expression « vivre et agir ensemble », et cela au moment historique où il faut à tout prix sortir d'un individualisme qui engendre des petits dieux sans âme. Et aussi vides intérieurement que socialement.

À la suite de ces quelques entrevues de groupe, j'ai demandé d'écrire et expliciter les interventions. Dans plusieurs cas, j'ai dû résumer leurs propos. Mais leurs propos sont révélateurs de l'état actuel de nos mœurs au Québec. S'agit-il de valeurs, plusieurs des répondants ont souligné que la crise principale est celle des valeurs communes vraiment partagées, mis à part peut-être, l'égalité homme-femme et la démocratie.

Par ailleurs, cette conception du spirituel passe les frontières entre les esprits laïques et les esprits religieux. En tout cas, c'est ma conviction comme chrétien. Je ne m'attendais pas à la fin de ma vie à ce qu'on fasse de Dieu un allié des tueurs au nom de la religion. Le Dieu de Jésus de Nazareth est un Dieu qui sauve et qui s'engage tout entier à la cause humaine dans toutes ses dimensions. Il faut le redire : aux yeux du Dieu des chrétiens, ce n'est pas d'abord la religion qui démarque les êtres, mais leur humanité ou leur inhumanité.

17. La démesure

J'ai déjà souligné que les deux principales sources de l'histoire occidentale, la civilisation grecque et la Bible, se sont interrogées sur la démesure humaine. Les philosophes grecs donnaient au sens de la limite plusieurs significations. Pour certains, la limite était synonyme de beauté. D'autres disaient que, hors l'homme, la mesure était la règle. Dans la nature, les territoires, les rythmes et les rites sont des limites. Les anciens Grecs avaient une telle préférence qu'ils transposaient la limite sur le plan moral et identifiaient le mal à l'illimité, à la démesure (l'*hybris*).

Les humains d'aujourd'hui sombrent souvent dans la démesure. Dans presque tous les domaines, on se prête aux extrêmes à une vitesse grand V.

Pensons à ces quelques exemples : l'athlète qui met l'intégrité de son corps en péril pour battre un record, les sports extrêmes, les risques de commotions cérébrales...

Et puis il y a la cupidité sans borne, le dépassement des ressources de la planète, la concentration des richesses, l'effet de serre, le système financier que plus personne ne contrôle et les inégalités croissantes.

La Bible, dès ses premières pages, met en cause la démesure humaine. Tels ces mythes du déluge et de Babel. Et en christianisme, il y a cette étonnante et inattendue autolimitation de Dieu en Jésus de Nazareth. Et aussi cet humanisme du sort des petits de la terre comme repère d'une vraie humanité et j'ajoute de civilisation.

Heidegger, dans *Le principe de raison*, définit la rationalité comme puissance de limitation. Mon collègue André Beauchamp nous amène sur les enjeux existentiels des tournants historiques que nous vivons. « La crise écologique est le résultat de l'explosion de l'espèce humaine et de sa puissance dans un univers fini. On pourrait la symboliser par la présence de quatre bombes :

- Bombe D = démographie (population)
- Bombe C = hyper consommation
- Bombe P = pollution
- Bombe I = inégalités sociales

Il y aura près de 9 milliards d'humains en 2050.

Le citoyen d'aujourd'hui consomme 50 fois plus que le citoyen des années 1940. Nous vivons collectivement au-dessus des capacités du globe.

Et que dire de la bombe de la pollution : dégradation de l'eau et de l'air ; énormes quantités de déchets et gaspillages. Inondations et sécheresses de plus en plus incontrôlables.

Et puis il y a le très grave enjeu des inégalités sociales entre pays et à l'intérieur de la plupart d'entre eux. Churchill dans ses Mémoires prévoyait un XXIe siècle marqué par le choc gigantesque entre «l'argent et le nombre».

André Beauchamp écrit ceci: «Depuis la Renaissance, nous sommes entrés dans l'âge de l'autonomisation de la pensée et donc de la capacité de l'être humain de penser le monde à partir de lui-même. Paradoxalement, c'est en se dégageant du géocentrisme (révolution de Copernic et de Galilée) et donc en découvrant sa place infime dans le cosmos que l'être humain s'est substitué à Dieu et s'est établi maître de l'univers. La structure de l'univers est d'ordre mathématique et c'est désormais la connaissance rationnelle, plutôt que la foi, qui est le moteur de l'humanité. Chacun connaît la parabole du diablotin du scientiste Laplace: à partir de l'état actuel du monde (XIXe siècle), si on connaît (bientôt) toutes les données, on peut déduire infailliblement son passé et son avenir (l'astronome Laplace nous assure qu'avec la science, il n'y aura plus de doute et d'incertitude)*.»

Aujourd'hui, on peut contrôler la vie elle-même et en modifier les structures. L'accès au code génétique des espèces vivantes et de l'espèce humaine

---

* André Beauchamp, «Responsabilité humaine et crise écologique», dans *Dieu agit-il dans l'histoire?*, Fides, 2006, p. 99.

donne à l'humanité la capacité de remplacer la nature, de substituer son œuvre à celle de la nature... l'intervention humaine semble maintenant plus performante, même s'il faut reconnaître que la modélisation de l'écosystème est encore sommaire, par rapport à sa complexité réelle.

Encore avec André Beauchamp, j'ajoute qu'il y a là plusieurs crises de sens et de finalités. Quel Homme? Quelle société? Me vient un rapprochement avec une grande enquête de l'UNESCO dont j'ai déjà parlé, sur les systèmes d'éducation dans le monde avec ce constat: tout se passe comme s'il n'y avait pas de finalités, de contenus de sens, mais seulement des logiques procédurales et des mesures pour apprendre à apprendre... mais à apprendre quoi?

Je reviens aussi à ma participation dans un groupe professionnel à la régie régionale de mon coin de pays. Pendant quatre ans, on s'est disputés autour des questions de programme, de pouvoir et de fric sans accorder deux heures sur le sens de ce qu'on faisait, et surtout sans regard sur ce qui se passait chez les gens qui étaient la raison d'être de notre travail. À tort ou à raison, je voyais dans cette absence de profondeur de sens un drame spirituel de non-âme et conscience.

Qu'est-ce à dire? On met des limites là où il faudrait élargir le temps et l'espace du sens de ce que l'on fait. Par ailleurs, l'on ne se limite pas là où on poursuit et défend ses propres intérêts. Se pourrait-il que ces comportements expliquent les longues négligences que sont la détérioration des infrastructures de notre société, le vieillissement précoce de nos institutions, la lenteur des travaux de réfection, l'augmentation récurrente de la dette publique et le peu de prise en compte des enjeux intergénérationnels ?

18. Au-delà du désarroi

ON NE PEUT EN RESTER au trop simple constat du climat morose dans notre société et chez ses citoyens. Nous sommes dans une société complexe et pluraliste, comme jamais dans notre histoire. Qu'on le veuille ou non, tout un chacun, nous avons à nous situer, à réfléchir et à nous positionner dans ce qui se passe présentement, mais aussi plus largement sur les parcours qui nous ont amenés jusqu'à aujourd'hui, et les soucis de notre avenir. Le débat épistolaire qui suit en témoignera.

Voyons d'abord des propos critiques que j'ai entendus.

— Ça va mal partout et en même temps, on vit dans une société émiettée. Tout se passe comme si on n'arrivait pas à résoudre même un seul de nos problèmes. Alors on se replie sur son petit monde. On se sent impuissant et puis on perd tellement de temps à se chicaner, il y a un sondage qui a révélé que le trait le plus marquant des Québécois, c'est d'être *chialeux*. J'en fais partie.

— Oui, mais il y a toute une différence entre les chialeux qui ont le ventre plein et les autres. Je suis un petit salarié au milieu d'un million de Québécois qui le sont dans le secteur privé. Une des caractéristiques des petits salariés, c'est que la plupart d'entre eux vivent selon leurs moyens. Mais c'est de plus en plus impossible. Le coût de la vie est en train de nous éreinter. Les prix de la viande, des fruits et légumes, des céréales, des pots de confitures ne cessent de monter. J'ai comparé le taux d'inflation officiel qu'on dit d'un ou deux pour cent aux augmentations des prix que je viens de nommer, et que dire des augmentations faramineuses du prix des maisons.

— Pareille chose passe sous le radar même de nos grands économistes les plus cotés comme Godbout, Fortin et compagnie! Ils parlent des gens du bien-être social, des classes moyennes et des riches, mais rien sur la situation des petits salariés. Le Québec serait plus égalitaire que les autres… Mon œil! Les batailles se font entre les gros de tous ordres protégés à la vie et à la mort. Nous, on devient de plus en plus vulnérables, et on va l'être de plus en plus et aussi de plus en plus nombreux.

— Je veux parler d'une autre situation qu'on passe sous silence. Dans mon milieu, il y a peu d'enfants, beaucoup de gens seuls, des enfants uniques ou pas du tout. Sur cette pauvre base sociale, on ne peut rien bâtir à long terme. Je n'ose pas parler du côté moral, ce n'est pas permis aujourd'hui. Mon fils, qui étudie à l'université en sociologie, m'a dit que le démographe Alfred Sauvy pensait que la paresse démographique d'une population engendre l'engourdissement social et économique. Je m'étonne que pratiquement personne ne parle de ça ici au Québec. À ma connaissance, il n'y a jamais eu une seule émission dans les médias sur cette question archi importante... en tout cas pour notre peuple et son avenir. Je parle ici des Québécois de souche.

— Tu parles de notre peuple, eh bien, moi, je dis qu'on traîne deux hontes, celle de notre passé, puis celle de notre société actuelle. En même temps, on clame très fort notre identité. Il y a là une énorme *contradiction* pour ne pas dire *aveuglement.* À cela s'ajoute le fait quasi maladif d'être toujours en maudit contre les politiciens, le monde des affaires, les gros syndicats, la religion, etc. Pour nous consoler, il y a le gros rire épais qui fuse de partout. Il faudrait bien que l'on sorte de cette boue qui salit le meilleur de notre histoire de résilience depuis quatre cents ans, et aussi le meilleur de notre société moderne et des réformes que l'on a réussies.

— Je suis d'accord, mais il y a quand même des choses à changer dans nos propres mœurs modernes. Nous comptons trop sur les lois, les chartes, la cour juridique. Mon fils m'a passé un texte de Montesquieu qui dit: « Il ne faut pas faire par les lois ce qu'on peut faire par les mœurs. » Les mœurs, ça comprend et relie nos manières de vivre, de penser et de nous relier les uns aux autres, et puis aussi nos racines, nos idéaux. C'est à ce niveau-là que se logent nos plus profondes crises. Sur la scène publique, on s'occupe beaucoup des menaces des autres, mais on s'intéresse trop peu à l'état de nos propres mœurs qui sont notre base la plus vitale, et surtout ses déchirures actuelles. Je rappelle que les périodes les plus dynamiques qu'on a vécues avaient comme caractéristique spécifique un consensus appuyé sur la base sociale et morale que je viens d'évoquer.

— Moi, je n'en démords pas. Nous avons fait traîner notre rapport à notre histoire comme un énorme boulet. Certes, nous sommes fiers, avec raison, de nos libérations modernes. Tant qu'il y a des traditions oppressantes à critiquer, il y a là un sens à l'émancipation. Tu peux t'émanciper avec un refus global de presque tout ton héritage historique religieux et moral, des grosses familles d'hier, de la trahison des clercs, bref de tout de ce que tu veux. Mais un jour, la réserve est à sec et tu vis une crise de sens. Je la trouve souterraine dans nos indécisions collectives, dans plusieurs de nos productions culturelles et puis dans ce qu'on appelle postmodernité. Celle-ci est l'aboutissement extrême d'une logique qui amène à ne plus croire en rien. Le nihilisme, quoi! Alors, on avance à l'aveuglette ou on s'enferme dans le temps immédiat. Cette crise souterraine mine l'humus de notre vie collective jusque dans nos réformes les plus prometteuses.

— Moi, je refuse de m'enfoncer dans ces diagnostics dévastateurs sur le passé et le présent. Je serais porté à inverser vos problématiques. Nous sommes dans une situation nouvelle, un nouveau tournant historique qui incite à s'investir dans le neuf à bâtir, donc à partir de l'avenir. Un avenir qui est déjà au milieu de nous. Par exemple, beaucoup d'initiatives marquent un nouveau goût d'innover, de créer, de risquer. Chez les jeunes en particulier, il y a un intérêt pour l'entrepreneuriat social. D'autres jeunes ont des aspirations en matière d'équité, d'environnement, d'utilisation plus féconde de la technologie, de mise en réseau des milliers de groupes et chantiers d'économie sociale. En s'inspirant des pays scandinaves, de jeunes économistes d'ici renversent le fameux dogme économique : il faut d'abord s'enrichir et après partager. L'expérience scandinave montre qu'il n'y a pas de développement durable économique sans de fortes assises sociales.

Et moi, j'ajoute : On ne peut vaincre la pauvreté sans de solides liens sociaux, sans une éthique sociale qu'on met en œuvre contre l'individualisme forcené qui s'impose dans tous les domaines de la vie personnelle et collective. Et il nous faut des milieux et des institutions qui favorisent davantage l'esprit communautaire.

Il nous faut aussi de nouvelles solidarités dans le contexte inédit d'équité entre les générations, entre les actifs et les retraités, entre les cultures et les religions, dans un État laïque neutre. Mais sans oublier que, dans la société civile, la démocratie ne doit exclure personne, aucun groupe social, religieux ou autre. Car toute exclusion peur paver le chemin du sectarisme ou de l'intégrisme.

Ces propos ne diminuent en rien l'importance que je donne au peuple historique auquel j'appartiens, et aussi mon attachement profond au christianisme et particulièrement à l'Évangile humaniste de Jésus de Nazareth.

19. Des êtres au monde

FACE À MON ULTIME DÉPART, je me rends compte que ma vie et ma foi débouchent sur un fond commun d'humanité qui transcende tout autant mes propres appartenances que le pluralisme multiforme de la société cosmopolite d'aujourd'hui. Je parle ici de la transcendance d'en bas, celle de la terre, des assises de la vie, de l'espèce humaine menacée d'extinction.

Et je prends comme métaphore de sens notre propre sol qui est le plus vieux de la planète (précambrien). Métaphore qui est bien évoquée par un poème d'Anne Hébert : « Notre pays est à l'âge des premiers jours du monde. La vie, ici, est à découvrir et à nommer ; ce visage obscur que nous avons, ce cœur silencieux qui est le nôtre, tous ces paysages d'avant l'homme qui attendent d'être habités et possédés par nous, et cette parole confuse qui s'ébauche dans la nuit. Tout cela appelle le jour et la lumière. »

Des études internationales récentes ont noté que le culte de la vie était le plus répandu partout sur la terre. Il y a là plus qu'une spiritualité, un problème très grave, un défi majeur à relever, un enjeu crucial, une tâche commune. Si les assises premières de la vie se dégradent, tout le reste suit. On ne peut rien construire sur ces ruines. Qui n'a pas autour de lui des signes concrets de ce drame ? Dans la rivière qui traverse ma ville, il y avait des dizaines d'espèces vivantes qui ont enchanté ma jeunesse. Maintenant, ce sont des eaux complètement mortes. On a tout fait pour qu'il en soit ainsi.

On me dira : en quoi cela concerne l'avenir social et politique de la société québécoise ? En beaucoup, car c'est la tâche la plus commune qui concerne tout le monde. Et quoi, l'*amour du pays* n'aurait-il donc rien à voir avec nos motivations pour livrer à nos enfants une nature en santé ? D'ailleurs, chez la jeunesse, l'avenir de la vie suscite une inquiétude profonde et une requête d'engagement durable. Dans un groupe intergénérationnel d'aînés et de jeunes adultes, nous avions à choisir un premier objectif. Tous les jeunes optaient pour l'environnement et tous les aînés choisissaient plutôt la santé. Avec humour, un jeune leur a dit : « Évidemment, il s'agit de votre santé ! »

Et de citer le vieux proverbe : « On n'hérite pas de la terre de nos parents, mais on l'emprunte à nos enfants. » Jamais dans l'histoire, cette pensée n'aura eu plus de prégnance que dans le pays réel d'aujourd'hui et de demain.

En bout de route, je sens le besoin de faire un bilan. Un pied dans la société de plus en plus laïque, et l'autre dans la tradition judéo-chrétienne trois fois millénaire ; j'en ai fait deux passions qui n'ont cessé de me charrier au-delà de mes moyens et souvent de mes volontés. Car la vie est jalonnée beaucoup plus de consentements que de choix libres. Mes consentements sont surtout venus d'appels des autres ; et ils ont été sources de dépassement. À ce chapitre, j'ai été un « progressiste conservateur », un réformiste radical ! Toujours aux frontières du paradoxe et de la contradiction. Avec une dominante de liberté.

Déjà, au collège, j'avais inscrit sur mon bureau d'études : « Domestiquer un canard sauvage, ce n'est pas seulement lui ravir sa liberté, mais aussi son sens de l'orientation. » À tort peut-être, je craignais d'être domestiqué par les trois vœux des religieux. J'ai toujours été d'esprit séculier et laïc. Je voulais vivre en plein monde, dans la mêlée des débats et combats de justice, en compagnonnage avec ceux qui travaillaient, croyants ou incroyants. J'y ai trouvé beaucoup de peines et de grands bonheurs.

Avec une certaine distance, je découvre des similitudes dans mon évolution avec la société et avec l'Église. Même dynamique d'émancipation, de réappropriation de liberté de conscience, de foi religieuse et laïque, et bien sûr, d'ouverture à d'autres chemins de société et de foi. Ma relecture de la Bible et des Évangiles devait beaucoup à mon questionnement et à la culture moderne et vice-versa. Un nouvel éclairage de part et d'autre. Un renforcement mutuel, sans compter mes tensions, mes colères, ces complicités, mes débats entre ces deux pôles.

Sur ce fond de scène, je veux évoquer un certain nombre de convictions : d'abord un enjeu d'éducation. Pour construire son identité, le jeune ne peut se passer d'adultes, de modèles d'adulte. Qu'arrive-t-il quand l'idéal de l'adulte correspond aux traits de l'adolescence : passer d'une expérience à l'autre sans en laisser mûrir une seule ; valoriser uniquement l'immédiat, le provisoire ; vivre, penser et agir dans le miroir narcissique de l'image qu'on a fabriquée de soi. Bref, agir comme un adulte-adolescent qui ne renvoie aux adolescents d'autre image que la leur.

L'adulte reste la figure la plus concrète de l'horizon de la croissance humaine. Si l'adolescent ne rencontre que des adultes-adolescents, il lui manquera de véritables modèles suffisamment fiables… pour être critiquables !

Au-delà des solutions politiques et socio-économiques nécessaires, les jeunes ont besoin de rencontrer des adultes crédibles qui croient à ce qu'ils font, qui tiennent leur engagement, qui ne démissionnent pas devant l'avenir à faire. Les jeunes les plus blessés sont ceux qui vivent dans des milieux où on ne croit en rien ni personne.

Ici l'on touche au problème de la transmission dans notre société contemporaine : *des valeurs adultes comme l'engagement durable, le sens de l'histoire et de l'avenir, l'altérité et la fidélité sont peu inscrites dans les styles et pratiques de vie, dans les discours des médias.* Et on ajoute que *dans la foire des utopies des dernières années en matière d'éducation, la plus illusoire et la plus sournoise fut celle de décréter qu'on ne transmet rien à personne.*

On sait l'importance de la Charte des droits, mais il arrive qu'elle devienne un substitut du lien social, de la morale, de la culture ou des mœurs. Dans notre contexte juridique, les références individuelles et subjectives ont souvent priorité sur le rapport social dans l'utilisation des droits. Il faut souligner ici un phénomène étonnant où la multiplication des droits vient étouffer le Droit lui-même.

Dans cette foulée, on oublie que c'est la justice qui fonde le droit, et non l'inverse. Il y a certaines conceptions et pratiques de la Charte des droits qui en font un fourre-tout de revendications plus ou moins pêle-mêle. Et il n'y a pas de limites aux droits quand il y a absence de philosophie critique, de culture politique et citoyenne et de pratique démocratique.

Qu'on me comprenne bien : je reconnais les rôles majeurs qu'exercent les droits. Mais en les absolutisant sans vis-à-vis critique, on leur fait perdre leur crédibilité, leur pertinence et leur portée réelle. À ce chapitre, rappelons que la première Charte des droits avait pour titre : la Charte des droits et des devoirs.

Le défi de bâtir un monde plus juste, inclusif et fraternel ne peut être envisagé par la raison instrumentale, la logique juridique, la *high tech*, l'échange mercantile où tout se compte sans trop savoir ce qui compte.

Il faut des bases humanistes morales et spirituelles solides pour oser prendre de grands risques, des choix difficiles et complexes, des projets audacieux et des foulées de long terme. Ce que ne peuvent entreprendre des individus avec des esprits superficiels, des valeurs molles, des pratiques de vie médiocres, des liens et appartenances éphémères, des solidarités et des manifestations ponctuelles.

Une métaphore peut symboliser cette dramatique : plutôt des fleurs coupées ou, au mieux, d'une seule saison, que des fleurs vivaces bien enracinées. On ne saurait mieux qualifier les mœurs actuelles, leurs styles de vie, d'éducation, de relations et de rapports sociaux.

Nous ne pouvons reconnaître nos nombreux problèmes graves et refuser en même temps un effort de réflexion pour vraiment les comprendre et nous responsabiliser.

À tort ou à raison, je pense qu'il y a là un appel de spirituel pour donner plus de profondeur à cette prise de conscience. J'ai fait état dans ce livre d'un intérêt croissant pour revaloriser des références comme la foi ou une expérience religieuse libre, ouverte au partage. Mais beaucoup de nos contemporains d'ici ont peine à se bâtir une spiritualité. Un de mes étudiants chiliens m'en a donné un bel exemple. C'était au temps de la dictature de Pinochet.

— Dans le désert du Chili, j'ai vu dans un village minier jusqu'où peut aller une spiritualité qui éclaire ce que je viens de dire. Personne n'avait le droit d'aller à la fontaine entre 9 heures et 23 heures. Or le couvre-feu commençait à 23 heures pour se prolonger jusqu'à 6 heures le lendemain. À 6 heures, les ouvriers et ouvrières allaient à la fontaine avant leur travail. Ils s'y rendaient deux fois. La seconde servait à entretenir les fleurs cultivées autour de leurs taudis qui étaient d'une propreté remarquable. Les travailleurs m'ont expliqué leur geste : d'abord l'affirmation de leur dignité humaine ; puis la volonté de bien signifier que, dans leur combat politique, personne ne leur ferait plier le genou ; et enfin l'expérience chrétienne, qui fonde leur conviction d'une libération décisive. Leur expérience, ils savaient la prier, la comprendre, la partager et la transformer jusque dans les plus humbles nécessités de la vie, dans la beauté des fleurs comme dans leur lutte politique. L'orthodoxie totalitaire ne saurait tenir longtemps devant un peuple qui a la politique de sa spiritualité.

Il y a ici une extraordinaire cohérence vitale entre le pain, les fleurs, la religion et la politique, entre le nécessaire et le gratuit, entre la dignité, le combat et l'espérance.

Quand une société n'arrive plus à contrôler d'une façon minimale son évolution interne, quand elle se contente de gérer ses échecs, le combat idéologique et politique s'affole ; il perd vite de vue les problèmes et les tâches du pays réel pour se livrer à des batailles de « causes » érigées en absolu, peu importe si les situations, les pratiques et les styles de vie sont en contradiction avec les discours tenus. Voilà une cote d'alerte qui mérite plus d'attention, même si elle n'a rien d'une prédiction assurée. Mais faut-il rappeler que l'histoire est remplie d'exemples où des peuples et des sociétés n'ont pas su voir venir des cassures désastreuses, se condamnant ainsi à entrer dans l'avenir à reculons ? Il vaut mieux affronter les crises avec lucidité et courage pour en faire des tremplins de dépassement.

La politique distingue les pouvoirs, l'économie répartit les biens, la technique organise les moyens, la philosophie hiérarchise des fins, la culture affirme une originalité, mais c'est une spiritualité qui embrasse l'entièreté de l'homme, de sa vie, de son histoire, de ses rêves et appartenances. Tout le contraire de l'homme programmé, dans le corridor d'une rationalité scientifique, ou dans une orthodoxie purement idéologique ou une actualité sans mémoire et sans horizon.

Il faut le redire : pour la première fois dans l'histoire, l'humanité peut se penser « une », alors qu'autrefois, chaque communauté humaine se définissait le plus souvent avec son propre « univers » d'identité, de sens et d'histoire singulière.

Aujourd'hui, on pourrait penser que le grand nombre d'échéances planétaires seront insurmontables et que le fatalisme sera la seule posture qui s'imposera.

Je suis de ceux qui veulent défoncer ce désespoir (Bernanos), avec une foi et une espérance têtues. Bien sûr, j'ai le pressentiment que le « survivre » sera le lot de la très grande majorité des humains au XXIᵉ siècle, y compris chez nous. Je fais le pari que les énormes problèmes et défis actuels et surtout futurs pourraient nous amener à aller chercher au fond de nous des forces de rebondissement insoupçonnées et à nous serrer les coudes. Pour nous, le plus grave déficit serait de ne plus croire en l'avenir. Qui sait, il y a ici et maintenant quelque chose de l'utopie d'une nouvelle et plus grande appartenance, celle de la famille humaine.

La fameuse appellation du monde moderne en termes de « village global » se transpose aujourd'hui dans nos cités de plus en plus cosmopolites. Il est de plus en plus difficile de faire société, de vivre et d'agir ensemble, de conjuguer les plus nombreuses identités, de construire de nouvelles solidarités et des projets communs. Mais qu'on le veuille ou pas, c'est sur ce terrain que l'on devra œuvrer pour le futur de notre humanité elle-même menacée de disparaître. Ce défi appelle plus de profondeur morale et spirituelle, surtout au moment où un peu partout dans le monde, il y a un climat de désespérance face à l'énormité des problèmes à surmonter.

J'en veux, pour exemple, ma propre société et surtout mon peuple historique franco-québécois de source auquel j'appartiens. Plusieurs de mes compatriotes sont centrés sur leur individualité, sans véritable tissu social, sans ancrage historique fortement assumé, sans grande foi en l'avenir.

Je tiens ces propos à mon corps défendant. Mon étude de l'état actuel de nos mœurs contribue à un certain vertige qui m'habite à la fin de ma vie. Il s'agit du peu de souci des enjeux de moyens et de longs termes qui sont les plus cruciaux. Je les ai nommés dans cet ouvrage, tout en les évaluant au travers de nos façons de vivre, de penser et d'agir et leurs pratiques quotidiennes. Ce dernier lieu ne ment pas ; en tout cas, il est plus vrai que l'énorme bavardage médiatique et informatique tout au long du jour.

Mais étonnamment, je vis de forts sursauts d'entêtement à garder le cap de l'espoir, et travailler encore à pied d'œuvre, à 83 ans. Avec cette dynamique spirituelle de ne pas cesser de croire en l'être humain, et de poursuivre la plus importante page de l'histoire qui est celle de chercher sans cesse à humaniser davantage toutes les dimensions de la vie individuelle et collective. C'est là l'humus régénérateur de nos mœurs de base.

Comme chrétien, je vis ma foi dans la foulée de l'humanisation, avec Jésus de Nazareth, pour qui ce n'est pas d'abord la religion qui nous démarque aux yeux de Dieu, mais notre humanité ou notre inhumanité. Avec cette foi, je peux aussi cheminer et travailler avec des compagnons de route incroyants ou religieux autrement.

Et je fais le pari de ma foi en Dieu et de sa promesse de ne jamais abandonner l'humanité et sa terre bien aimée.

Table des matières

MARQUIS

Québec, Canada

RECYCLÉ
Papier fait à partir
de matériaux recyclés
FSC® C103567
FSC
www.fsc.org

Imprimé sur du papier Enviro 100% postconsommation
traité sans chlore, accrédité ÉcoLogo et fait à partir de biogaz.

100%   PERMANENT